영화 속 진화론 바로잡기

교과서진화론개정추진회 지음

주집필 김재욱 감수 교진추 학술위원장 임번삼 외

영화 속 진화론
바로잡기

초판1쇄 인쇄 2015년 9월 11일
초판1쇄 발행 2015년 9월 14일

지은이 교과서진화론개정추진회

발행인 이왕재
펴낸곳 건강과생명(www.healthlife.co.kr)
주소 110-460 서울시 종로구 대학로7길 7-4 1층
전화 02-3673-3421~2 팩스 02-3673-3423
이메일 healthlife@healthlife.co.kr
등록 219-05-78242

총판 예영커뮤니케이션
전화 02-766-7912 팩스 02-766-8934
디자인 Rna(woogy68@naver.com)

정가 9,000원

ISBN 978-89-86767-36-0 03300

'라온누리'는 '건강과 생명'의 새로운 출판브랜드입니다.

영화 속 진화론 바로잡기

할·리·우·드·가·왜·곡·한·과·학·이·야·기

목차 |

part 3

인간과 사회

서문 |

시각을 통해 들어와 잘못된 세계관으로 남는 진화론

사단법인 교과서진화론개정추진회의 주된 활동 목적은 이름이 지칭하는 그대로 교과서에서 진화론을 올바르게 개정하여 자라나는 세대의 균형 잡힌 세계관 형성에 도움을 주고, 건전한 과학 발전 및 학술 진흥에 이바지하는 것이다.

이 같은 목적을 달성하기 위하여 우리 교진추는 교과서에 수록된 진화론 개정 사업, 진화론 실상 연구 사업 등을 늘 고삐를 늦추지 않으며 진행하고 있다. 그밖에도 우리 단체는 진화론이 끼치는 폐해의 심각성을 알리는 많은 일을 병행하고 있는데, 이런 도서의 출간은 그런 활동 중 중요한 한 부분을 차지한다.

왜냐하면 교과서는 학자들 위주로 집필되므로 일반 대중들은 관심을 가지기가 어렵고, 내용을 들여다보아도 얼른 이해하기 어려운 부분이 있기 때문에 대중을 위한 교양 과학 도서를 만들어 학부모와 학생들, 그리고 진화론이 무엇인지, 왜 위험하다는 것인지 잘 모르는 사람들을 깨우쳐주는 것이 교진추의 또 다른 활동 목표이기 때문이다.

특히 이번 책은 누구나 관심을 가지는 영화 속에 나타난 진화론적 문제를 바로잡는 것이라 교진추 내에서도 많은 관심이 있었고, 독자들에게도 크게 반가운 책이 되지 않을까 생각된다. 영화는 그야말로 과학의 모든 분야를 소재로 삼고 있으며, 생물 진화론의 고전부터 최첨단 과학의 새로운 해석까지 담아 저 넓은 우주와 인간의 내면까지 진화론으로 물들이고 있다.

무분별하게 이런 영화를 보다 보면 그럴듯한 컴퓨터 그래픽 효과로 말미암아 실제로 그런 일이 과학적으로 일어날 수 있다고 믿거나, 먼 미래에는 가능할 것으로 생각하는 경우가 많은데, 이런 영화들은 대부분 전적으로 상상이거나 근거 없는 거짓 과학을 바탕으로 하기 때문에 관객들의 눈으로 들어온 영화가 머리에서 진화론을 고착시켜 어느새 잘못된 세계관을 갖게 만들기 쉽다.

이 책은 우주와 지구와 동물과 인간, 그리고 사회에까지 번져 있는 진화론의 다양한 주제를 꺼내 사람들이 가장 궁금해 하는 이야기들을 들려주면서 자연스럽게 진화론의 문제점을 깨닫게 해준다. 뿐만 아니라 쉽게 읽히는 글을 통해 속 시원한 비판과 진지한 성찰을 함께 맛볼 수 있을 것이다.

이 책이 진화론의 심각성을 알리고 전하고자 하는 이들, 그리고 진화론을 바르게 알려주는 마땅한 책이 없어 고민하는 교사와 학부모 독자에게 반가운 단비가 되리라 믿는다.

(사)교과서진화론개정추진회
회장 이광원

프롤로그 |

영화가 허구이듯 진화론도 상상이다

세상의 과학도서는 거의 모두가 진화론에 근거해 이야기를 풀어간다. 아예 진화를 기정사실로 규정하는 제목도 흔히 볼 수 있다. 진화론으로 풀면 그 안에서 다 말이 되는 것처럼 느껴지기도 한다. 깊은 고민 없이 전문가인 과학자들이 알아서 옳은 것을 말했으려니 한다면 거의 모든 부분을 받아들일 것이다. 그러나 과학자는 모든 것을 아는 사람이 아니다. 과학은 모든 것에 해답을 주지도 않는다. 누구나 자기 '믿음' 안에서 풀기 때문에 과학자의 말에는 개인적 신념과 주관적 해석이 들어있기 마련이다.

영화는 상상이고 예술의 장르이지 과학을 위한 것이 아니다. 그러나 거기서 다루어지는 과학적 요소는 사실에 근거한 것처럼 포장될 때가 많다. 이 책은 그런 부분을 짚어내 바로잡기 위해 출간되었다. 영화 자체는 길게 거론하지 않았다. 본서는 영화적 상상력이나 표현의 자유를 지적하는 것이 아니라 그 안에 등장하는 주제나 소재, 과학적 요소 중에 잘못된 것들, 특히 진화론적인 오류를 짚어 바로잡는 책이다. 왜냐하면 영화는 영화일 뿐이지만 잘못된 과학은 관객의 마음에 남기 때문이다.

여기 소개하는 영화는 대개 할리우드에서 만든 것들이다. 지나간 영화 중에는 영화사에 길이 남을 가장 익숙하면서도 큼직한 주제를 지닌 것들 위주로 선정했으며, 최신 영화들 중에서도 진화론이 깊숙이 개입된 화제작들을 다루었다. 최근의 영화일수록 스포일러가 되지 않도록 내용 공개를 최소화했다.

메인이 되는 영화 외에 본문에 등장하는 여러 영화들은 원제명을 표기하지 않았고, 한국에서의 개봉 제목과 제작연도만 표기했다. 제목으로 잡고 소개한 영화들 외에도 본문에서 관련 영화에 대해 많이 언급했고, '생각하는 과학칼럼'을 통해 주제를 영화 밖으로 확장해 일상에서 만나는 진화론의 문제점을 짚어 보았다.

집필은 출판사업팀장이며 작가인 필자가 주로 했지만, 내용은 교진추 모든 이사진과 연구진의 검토와 동의를 거친 것이다. 과연 이치에 맞고 사리에 맞는지 상식을 가지고 잘 판단해 보시기 바란다. 교진추는 진화론을 반박하는 단체지만 이 책의 어떤 주제에서는 창조론도 일부 거론한다. 이것은 진화론자들이 교진추를 종교 단체로 매도하기 때문에 이에 대해 변호하는 차원에서 언급한 것이며 진화론이 아니면 결국 특별창조라는 답밖에 없기 때문에 부득이한 일이기도 하다.

늘 묵묵히, 그러나 힘있게 교진추를 이끌어 가시는 과학고 생물교사이자 서울시 장학사 출신이신 이광원 교진추 회장님, 꼼꼼하게 감수를 해주시고 추천도 해주신 국내 굴지의 식품회사 전 대표이자 '걸어다니는 과학백과' 임번삼 박사님, 응원의 마음을 담아 추천사를 써주신 한동대학교 김종배 교수님께 깊이 감사드린다. 또한 함께 검토하고 교정에 참여해주신 교진추 연구소장 김오현 교수님과 심인구·정원종·황영원 님 등 각 분야 전문가인 동료 이사님들, 늘 열정으로 모든 일을 챙기시는 백현주 사무처장님의 노고에 감사한다.

끝으로 교진추 사업에 동참해주시는 모든 분들께 감사드리며 널리 홍보를 부탁드린다. 이 책을 통해 조금이나마 과학의 진실이 밝혀지고, 진화론의 거짓이 드러나 참된 지식이 제자리를 찾는 합리적인 세상이 되기를 바란다.

(사)교과서진화론개정추진회 출판부

주집필자 김재욱

추천사 I |

진화 사상의 중독을 부르는 영화의 진실을 파헤친 필독서

우리는 불의가 정의를 대신하고, 거짓이 진리의 모습으로 모든 분야를 지배하는 시대를 살고 있다. 그러나 많은 사람이 이러한 현실에 눈을 감거나 현실과 타협하고 있다. 그 결과, 사회에서 정의와 진리가 사라지고, 거짓에 중독된 좀비와도 같은 인생들이 삶의 목적의식을 상실한 채 방황하고 있다. 요즘 뉴스를 장식하는 끔찍한 사건들은 이 사회가 중병에 걸려 있음을 잘 보여준다. 사회가 이처럼 몸부림을 치는데도 학계나 종교계 및 정치 지도자들은 무관심으로 일관한다. 아니 그런 현상을 더욱 부추기까지 한다.

눈에 보이는 육체가 '나'가 아니며, 속사람이 '참 나'이다. 사람의 언어나 행동은 마음속에 품은 생각을 보여주는 결과물이다. 따라서 그 사람의 언행이 그 사람의 참 모습이다. 선한 마음에서는 선한 말이, 악한 마음에서는 악한 말이 나오게 마련이다. 그런데 이러한 마음을 지배하는 것이 그가 가진 세계관이다.

세계관은 학문적 기준으로 볼 때, 창조론적 세계관과 진화론적 세계관이 있다. 진화론적 세계관은 무신론적 자연주의이며, 만물과 생명이 물질에서 나왔다고 믿는 무서운 유물론이다. 이와 같은 진화 사상이 학교 교육을 통해 학생들의 인생관 형성에 결정적인 영향을 주고 있다. 진화론자들은 이런 사상을 각종 학문, 매스컴, 예술작품 등을 통해 확산시키고 있다.

특히 진화론은 대중에게 큰 영향을 주는 매스컴과 영상매체에 교묘한 형태로 스며들어 수많은 영혼을 파멸의 길로 오도하고 있다. 액션과 스릴과 서스펜스, 그리고 섹스는 그들이 가장 잘 활용하는 무기이다. 대중들은 이런 영상매체가 노리는 무서운 음모를 깨닫지 못한 채 서서히 진화 사상에 중독되고 있다.

이런 시기에 영화 속에 스며있는 진화 사상의 일단을 파헤친 이 책이 출간된 것은 매우 시의적절하다는 생각이다. 본서의 주집필자는 예술을 전공한 작가이면서 자연과학의 영역에도 해박한 지식을 지니고 있어 경탄을 금할 수 없다는 생각이 든다. 두껍지 않은 책이지만, 이를 통해 영화 속에 어떻게 진화 사상이 교묘히 위장되어 있는지 파악하는 데 큰 도움을 줄 것이라 확신한다.

진리를 갈망하는 사람은 물론, 청년과 학생들, 그리고 사회의 지도적 위치에 있는 분들이 반드시 읽어야 할 필독서라 생각한다.

(사)교과서진화론개정추진회
학술위원장 임번삼 박사

추천사 II |

파괴적이고 생명의 존엄성을 해치는 영화를 파헤쳐 건전한 세계관으로 안내하는 책

우리는 일방적으로 진화론이 사실인 것처럼 배워왔고 진화론만이 과학인 것처럼 호도되고 있는 게 현실이다. '진화론이 틀렸다!'라고 이야기하면 사이비 과학자로 비난을 받기도 한다. 우리는 진화론에 대해 제대로 말하는 것조차 쉽지가 않다. 진화론을 부정하면 광신자로 매도되기도 한다. 매우 안타까운 일이다.

어린 학생들에게 가장 영향력을 미치는 것 중의 하나가 바로 공상과학 영화가 아닐까 생각해본다. 때론 영화는 허구를 사실인 것처럼 만들어 우리를 혼란스럽게 하는 묘한 힘을 지니고 있다. 특히 자라나는 어린 세대들에게는 더욱 그렇다.

상상력을 키우는 일은 창의적인 사고 유발을 위해 매우 좋은 교육이 될 수 있다. 그러나 올바른 사실을 바탕으로 한 것들에 근거를 둘 때에 비로소 건전하고 건설적인, 유익한 상상력이 된다. 그렇지 못하면 파괴적이고 생명의 존엄성을 해치는 위험한 사고로 발전할 수도 있음을 우리는 역사를 통해 교훈을 얻고 있다.

'명화'라는 이름으로, 소위 블록버스터급 영화로 세상을 떠들석하게 한 것들이 우리 주변에는 무척 많다. 하지만 그런 영화들을 자세히 들여다 보면 대부분 진화론에 바탕을 둔 것들이다. 그래서 평소 개인적으로 매우 못마땅하게 생각하곤 했다. 문제는 그런 영화를 마치 사실인 양 믿고 자라나는 세대들에게 심각한 영향력을 미친다는 점이다.

마침 교진추에서 그런 영화들 속에 드러나거나 잠재돼 있는 진화론의 잘못된 점을 조목조목 설명한 책이 나와 얼마나 다행스러운지 모르겠다. 때로는 이것들에 대해 반박을 하고 싶어도 마음뿐이었는데 이렇게 문제점들을 과학적인 근거를 바탕으로 알기 쉽게 설명한 이 책에 진심으로 응원의 박수를 보내고 싶다.

나도 지난 30년간의 교수 생활을 마치고 작년에 정년 퇴임을 했다. 공부를 하면 할수록 '진화론은 아니다! 잘못된 가설이다!'라는 사실을 뼈저리게 느꼈고, 진화론의 잘못된 점을 어떻게 사람들에게 인식시키고, 학생들에게 가르칠까 늘 고심해 왔다. 지금도 머리를 싸매고 내 나름의 노력을 하고 있다.

마음 같아서는 지금 당장이라도 과학 교과서를 바꾸고 싶은 마음이 간절하다. 언젠가는 바른 과학 이론으로 바뀌는 날이 오리라 믿는다. 왜냐하면 진화론은 전혀 사실이 아니기 때문이다.

아무쪼록 이 책을 통해 독자들이 잘못된 진화론에 대해 깨닫는 계기가 되어 올바른 생명관과 인생관을 갖게 되기를 간절히 바라는 마음이다. 귀한 글을 쓰고 출간한 집필자와 교진추의 모든 연구진, 운영진에게 감사의 말씀을 전하고 싶다.

한동대학교 생명과학부
김종배 명예교수

PART 1

| 우주와 공상과학 |

Interstellar

인터스텔라 | 인류는 우주에서 해답을 찾을 수 있을까?

Source code

소스 코드 | 다중우주에 또 다른 내가 산다?

생각하는 과학칼럼 1 : '죽음' 은 없다. 정말일까?

Total recall

토탈 리콜 | 화성 개발의 야심찬, 혹은 아무진 프로젝트

생각하는 과학칼럼 2 : NASA의 지긋지긋한 낚시질, 지구 2.0

인터스텔라

Interstellar

인류는 우주에서 해답을 찾을 수 있을까?

제작 : 2014년
감독 : 크리스토퍼 놀란
주연 : 매튜 맥커너히·앤 해서웨이·맷 데이먼

환경이 파괴된 지구를 떠나 우주의 새로운 보금자리를 찾아 떠나는 공상 과학.

우린 답을 찾을 것이다. 늘 그랬듯이?

이 영화는 유통기한이 다 되어가는 지구의 거주자들이 우주에서 새로운 이상향을 찾는 과정을 다루고 있다. 우주를 주제로 인간의 구원을 모색하는 영화이다. 인터스텔라(interstellar)는 성간(星間), 즉 별과 별 사이를 의미한다.

인류는 지금 처한 극심한 환경 문제에서 답을 찾을 수 있을까? '인류는 답을 찾을 것이다. 늘 그랬듯이' 이 문구는 인류가 그간 해낸 놀라울 정도로 많은 일을 염두에 둔다면 그리 과장된 말이 아닐지 모른다. 인류는 수

백 개의 나라가 모여 살면서도 아직 파멸에 이르지는 않은 채 어쨌든 함께 살고 있으며, 달에 착륙하기도 하는 등 눈부신 과학기술로 과거에 불가능하던 많은 것들을 이루었다. 또한 위기 때마다 협의를 통해 조율하고, 함께 자정을 위한 노력을 기울였다. 대표적인 예가 핵 확산 억제, 프레온 가스 규제와 기후협약 같은 것이다. 남반구에 구멍이 났던 오존층을 복원하는 등 특정한 성과도 있었다.

그러나 아직도 지구촌은 전쟁과 기아와 양극화와 테러, 그리고 환경의 역습인 다양한 천재지변과 자연재해로 몸살을 앓고 있다. 인류는 과연 언제까지 해답을 찾아갈 수 있을까?

이 영화에서 말하는 '인류의 생존에 관한 해답'은 무엇인가? 과연 이 문제를 과학기술을 통해 근본적으로 해결하는 일이 가능할까? 우주 진화론을 바탕으로 한 이 영화는 정말 SF 이상의 과학을 말하고 있을까?

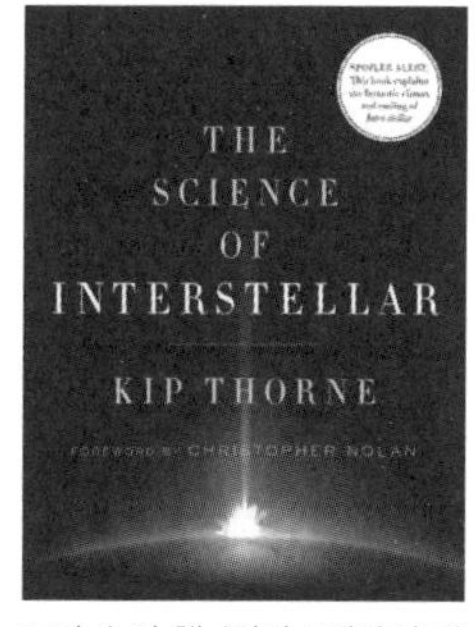

▮ 킵 손의 책 〈인터스텔라의 과학〉. 영화 속 이야기가 실제인 양 착시를 불러일으킨다.

관객들이 충분히 그렇다고 느낄 만한 요소가 이 영화에는 있다. 이론 물리학의 대가라는 과학자의 자문과 영화 참여를 통해 신빙성을 높이기도 했다. 그는 킵 손(K. Thorne)이라는 사람으로 '웜홀' 이론의 제안자이다. 말하자면 웜홀의 원조라는 것이다. 그는 한국에 와서 특별 강연도 했다. 그런데도 이 영화에 대한 과학적 근거는 희박하다는 평가가 많다. 진화론을 인정하지 않는 시각에서 본다면 더더욱 만화에 가까운 느낌이다. 더욱이 영화의 진짜 주제는 따로 있다.

옥수수 밭에서 시작된 외계의 복음

영화는 지구가 더는 버티기 어려운 환경이라는 것을 말하면서 시작한다. 지구가 전혀 살 만한 곳이 아니었고, 지금의 안락한 우주시대로 옮겨오게 된 발단을 주인공 쿠퍼의 딸 머피가 회고하는 것이다.

모래바람과 흙먼지가 가득하던 드넓은 옥수수 밭. 그곳을 삶의 터전으로 살던 사람들도 이주하지 않고는 버틸 수 없을 지경이 된 시절부터 이야기가 시작된다. 식탁은 단 몇 시간이면 뽀얀 흙먼지가 쌓여 접시는 늘 엎어놓고 살아야 했다. 자동차는 모두 잿빛으로 뒤덮여 있고, 매일 현관 앞 입구에 쌓인 흙을 쓸어내야 했다. 어딘가로 떠나야 하는 것은 분명한데, 지구 자체가 갖가지 몸살을 앓고 있기 때문에 모든 사람이 정착할 만한 곳은 마땅치가 않았다.

자신의 아이들과 차를 타고 드넓은 옥수수 밭 사이를 달리던 쿠퍼는 한 주인 없는 비행체를 발견하고 밭을 가로질러 따라간다.

옥수수 밭은 밀밭과 함께 미스터리 서클이 자주 발견되는 곳이다. 드넓은 곳을 단시간에 기하학적 문양으로 밟아놓은 듯한 미스터리 서클에 대해서는 진위여부에 논란이 많지만, 사람이 가짜로 만든 것들이 아닌 진짜 미스터리한 현상을 보이는 것도 있다.

그러나 미스터리 서클은 어떤 것도 외계 존재의 소행이라는 증거는 없다. 아니, 많은 이들이 알고 있는 것처럼 외계, 즉 우주의 다른 행성에서 온 존재는 밝혀진 바가 전혀 없다. 미확인 비행물체와 낯선 존재들은 지구 내에서 벌어지는 일들이 대부분이다. 라엘리안 무브먼트의 창시자 클로드 라엘이나 조지 아담스키, 스페인 농부 마이어 등 외계인과 무수히 접촉했다는 수많은 이들이 등장해 추종 세력도 있지만 그런 일들은 당사자들의 허황된 증언(?) 외에 어떤 검증할 만한 증거도 없다.

아무튼 이처럼 드넓은 옥수수 밭을 배경으로 한 것은 외계 존재를 암시하는 것이다. 이 영화의 메시지는 우주과학도 우주비행사도 우주개발도, 상대성이론이나 양자역학도 아닌 '외계인 사상'이다. 이를 암시하듯 다른 버전의 포스터는 '프롬(from) 크리스토퍼 놀란'이라는 글자가 UFO처럼 지구인들을 불러 우주로 데려가는 모양을 하고 있다. 비행접시처럼 나열된 감독의 이름이 지구인들을 빨아들여 외계로 인도하는 듯한 의미있는 표현이다. 이 포스터의 문구는 이렇다.

> 인류가 지구에서 태어났다는 사실이 반드시 지구에서 죽는 것을 의미하지는 않는다.

이는 지구인이 우주개발을 통해 다른 행성이나 미지의 장소를 찾아 나서는 것을 의미하지만, 영화에서는 인간의 힘으로 하는 것이 아니라 외계 존재의 도움으로 가능하게 된다.

▮ UFO가 지구인을 이끌어 삶의 길을 제시하는 메시지를 표현한 포스터. 그 세계를 감독이 제시하고 있음을 은유적으로 표현했다.

우주가 과학자들의 손바닥인가?

임자 없는 비행체를 계기로 전직 우주인이었던 쿠퍼는 지구의 절박한 상황을 벗어날 대안을 연구하기 위해 동료들과 우주로 나가게 된다. 그러나 지구인이 이주할 만한 행성은 없었다. 우주에서 몇 년을 보냈지만 상대성 이론에 따라 지구의 시간은 수십 년이 흐른다. 그가 남긴 어린 딸 머피는 중년을 넘기고, 그를 보낸 박사는 사망한다.

이 영화를 보는 사람들은 단지 이것을 공상으로 받아들이지만은 않는 것 같다. 〈스타워즈〉나 〈스타트렉〉 같은 영화로 보지 않고, 다큐와 영화가 뒤섞인 것으로 보게 된다. 그렇다면 이 영화의 신빙성은 얼마나 될까? 인류는 우주에 얼마나 다가서 있을까? 여러 가지 뉴스로 사람들의 마음에 잔뜩 펌프질을 하고 있지만 사실 우주에 나가 살거나 지구가 아닌 다른 곳을 활용하는 일은 아직은 매우 어려운, 먼 이야기다. 매일 화성과 달과 명왕성의 뉴스를 보니 거기가 무슨 우주인들의 마실 장소처럼 느껴지기도 하고, 천문학자와 우주과학자들이 손바닥에 놓고 보듯 잘 아는 것처럼 여겨지지만 실상은 그렇지 않다.

우주는 생각보다 멀리 있고 가기도 어렵다. 러시아와 미국은 왜 달에 또 안 가는가? 돈이 없단다. 돈을 우주에서 캐는 것도 아닌 마당에 이래서야 어디 현존하는 아무리 어린 아이라도 달에 여행이나 한 번 갈 수 있을까? 뉴스만 무성하지, 아무런 현실성이 없는 이야기다.

심지어 미국의 달 착륙은 조작이라는 의혹이 처음부터 지금까지 끊이질 않았다. 여러 정황들에 관한 의혹을 미 항공우주국(NASA)이 해명했지만 최근까지도 러시아는 미국이 냉전 시대에 소련에 밀리지 않기 위해 할리우드 영화의 다큐 버전 같은 것을 만든 것이 아닌가 하는 의혹을 보내고 있다. 그도 그럴 것이, NASA는 달에 착륙하는 상황을 촬영한 필름을 70~80년대에 실수로 지웠다가

▮ 닐 암스트롱이 찍은 달 착륙 장면

몇 년 전 복사본을 발견해 40% 정도 복원하여 원본보다 보정된 화면이라며 공개했다. 그토록 중요한 자료를 허술하게 관리한 것은 납득하기 어렵다. 물론 미국의 반론도 팽팽하고, 음모론에 대한 다양한 반론이 있다. 한 번만 간 것이 아니라 6회의 성공으로 12명의 우주인이 달 표면을 밟았다고 주장하는데, 조작이면 그렇게 여러 번 반복할 이유가 무엇이냐고 되묻기도 한다.

그런데 NASA의 우주인 중 상당수가 프리메이슨 명단에 올라 있다. '프리메이슨'은 하나의 종교로 신세계질서(New World Order)를 이룩해 세계단일정부를 세우는 것을 목표로 하는 단체이다.

빅뱅을 둘러싼 종교적 믿음

빅뱅(big bang)은 알 수 없는 우주의 알(cosmic egg, 우주계란)이 폭발하고 지금까지 팽창하면서 그 안에 있던 것들이 서로 모여 우주를 이루었다는 가설이다. 물론 근거는 없고, 지금까지 수많은 수정 가설이 나왔다 사라지

곤 했다.

빅뱅 이전에는 무엇이 있었는가 하는 문제는 제쳐 두고 빅뱅이 사실이라 해도 그 폭발물들은 언제부터 질서정연한 궤도로 자리를 잡고 지구처럼 동그란 형태로 뭉쳐졌을까? 우주의 별들은 어떻게 그렇게 정확한 궤도에 따라 돌고 있는 것일까?

가장 친근한 해와 달을 보면 이것이 우연이라 할 수 없음을 단박에 알 수 있다. 지구에서 바라볼 때 태양과 달의 크기는 같다. 왜냐하면 달은 태양보다 400배 작지만 400배 더 가깝기 때문이다. 그러니까 이토록 드넓은 우주에서 정확히 일직선으로 서면 달로 해를 칼로 자른 듯 정확하게 가릴 수 있다. 설마 우연한 빅뱅과 우연한 궤도상에 해, 달, 지구의 위치 선정까지 우연히 맞아떨어지는 우주 쇼가 가능할까? 그들은 가능하다고 말한다.

인류는 그것을 자주 보며 '개기일식'이라고 부른다. 이처럼 엄청난 확률, 아니 확률로는 계산조차 할 수 없는 일까지도 우연이라고 한다면 그는 정상적인 사고를 하지 못하는 사람이다. 그런 사람은 우연교(敎), 저절로교(敎), 자연선택교(敎), 그리고 진화교(進化敎)의 숭배자로서 매우 강력한 믿음의 소유자이다. 어떤 종교인도 이들의 확고한 믿음 앞에서는 겸허히 무릎을 꿇어야 한다.

리처드 도킨스(R. Dawkins)는 생물의 정교함이 너무 엄청나다고 일단 인정한다. 그러나 그것은 '강력한 환상'이라고 표현했는데, 시계는 시계공 없이 만들어지거나 돌아갈 수 없지만 시계보다 비교할 수 없도록 정교한 생물과 우주는 우연히 만들어졌다고 아무렇지 않게 말한다. 그런 자연선택의 힘을 '눈먼 시계공'이라고 했다. 눈이 멀든 손이 없든 시계공은 있어야 한다는 것을 스스로도 인정한 것이다.

▮ 〈코스모스〉의 저자 칼 세이건 원작의 영화 〈콘택트〉. 외계의 생명체를 찾는 이 영화에도 〈인터스텔라〉의 쿠퍼 역 매튜 매커너히가 출연한다.

어느 과학 도서를 보니, 자연이 매우 정교해 설계의 흔적이 있는 것처럼 보이는데, 도킨스의 말처럼 아무 존재가 없이도 보이지 않는 자연선택이라는 힘이 지금까지 정교하고 실수 없이 모든 것을 운행해 왔을 것이라고 썼다.

그런데 몇 장 안 넘어가서 외계인의 존재를 찾던 SETI(Search for Extra-Terrestrial Intelligence) 프로젝트를 모티프로 한 영화 〈콘택트(1997)〉에서 전파 신호가 규칙적으로 잡히자 주인공 엘리가 흥분하는 장면을 말하면서, '신호가 일정한 패턴을 보이는 것은 우연일 수 없고, 누군가 만들어 보내는 존재가 있음을 뜻하는 것이기 때문'이라고 썼다.

물론이다! 그런데 그 간단한 패턴도 우연히 만들어질 수 없다고 말하는 멀쩡한 과학자가 이 자연의 놀랍고도 정교한 패턴이 무작위로 아무 설계자도 없이 만들어져 지금까지 한 치의 오차도 없이 운영되고 있다는 것을 아무렇지 않게 믿고 또 말할 수 있을까? 이래서 우리는 진화론을 '진화교'라고 망설임 없이 부르는 것이다.

실제로 SETI 프로젝트는 50년 넘게 무의미한 소리의 '흔적' 외에 아무 증거도 수신하지 못했고, 앞으로도 못할 것이다.

말할 수 없이 복잡하고 일정한 패턴으로 무생명에서 생명이 나오고, 우연의 산물이 복잡하고 계획적인 일을 해낸다는 것이 가능하다는 진화론자들의 주장…. 얼마나 비논리적인 모순인가?

블랙홀과 화이트홀, 웜홀(벌레구멍)

〈인터스텔라〉에서 수십 년 동안 지구인이 정착할 새로운 별을 찾지 못한 우주인들. 그들은 새로운 행성에서 물도 발견하고 북극과 비슷한 곳에 내리기도 한다. 거기로 지구인이 이주할 생각을 하다니, 차라리 흙먼지 가득한 지구에서 방독면과 산소호흡기를 쓰는 편이 훨씬 낫다는 생각이 들게 한다. 그 황량한 별에도 내려서 탐사를 하는데, 대체 몇 사람이 거기서 살아남아 필요한 물건을 조달하고, 만들고, 식물을 심고 자손을 퍼뜨린다는 것인가? 돈이 없어 달에도 몇 번 가고 끝인 인류가 대체 그런 비용을 무엇으로 충당한다는 것인지 알 수 없다.

결국 모든 가능성이 수포로 돌아가게 되고, 진퇴양난에 빠진 쿠퍼는 연료조차 마땅치 않은 부실한 우주선으로 마지막 도전을 하는데, 블랙홀로의 직접 진입을 시도한다. 우주선이 블랙홀로 빠지는 장면은 이 영화에서 가장 클라이맥스이다. 그러면 블랙홀은 무엇인가?

거대한 별이 수명을 다할 때는 대규모의 폭발 후 어마어마한 중력에 의해 빛조차도 빠져나가지 못하는 천체가 형성된다고 한다. 빛조차 가둬버릴 정도니까 다른 물질들은 아예 빨려 들어가 그냥 삼켜지는 것이다. 그래서 헤어날 수 없는 곳이나 무언가 끝없이 삼키는 곳, 들어가면 나오지 않는 곳을 블랙홀에 비유하기도 한다.

▮ 쿠퍼가 우주선으로 블랙홀에 진입하는 장면

그러면 의문이 생긴다. 거대한 별은 무엇이고, 폭발은 무엇이며 거기 왜 구멍(hole)이 생기고 모든 것을 삼킨다는 것인가? 나가는 곳이 없이 삼켜진 그것들은 대체 어디로 간다는 말인가? 그런 것이 실제로 존재하기는 하는 것일까? 이에 대해 한 지식백과는 비교적 쉽게 설명을 하고 있다.

이러한 천체는 직접 관측할 수 없는 암흑의 공간이라는 의미에서 '블랙홀'이라 한다. 그런데 이런 블랙홀이 우주 공간에 실제로 존재하고 있을까? 블랙홀은 1789년 프랑스의 라플라스(P. S. Laplace)가 처음 생각한 천체이다. 태양 질량의 수십 배에 이르는 별들이 폭발한 후에 핵에 해당하는 중심부는 강한 수축력에 의해 급격하게 줄어든다.

어떤 이가 처음 '생각한' 천체라고 표현한다.

이때 수축의 정도가 심해지면 빛도 빠져 나갈 수 없는 천체가 형성된다. 그 속을 빠져 나오는 데 필요한 탈출 속도는 빛의 속도보다 크기 때문에 빛도 빠져 나오지 못한다. 또한 블랙홀은 아주 강력한 중력장을 가지고 있기 때문에 빛을 포함하여 근처에 있는 모든 물질을 흡수해 버린다. 그러나 블랙홀은 직접 관측할 수 없었기 때문에 오랫동안 이론적으로만 존재해 왔다.

이론적으로만 존재해왔다고 한다. 당연하다. 누가 그것을 가서 보겠으며 관측한들 그런 현상들을 증명할 수 있겠는가?

이 불가사의한 천체는 한동안 '얼어붙은 별(frozen star)', '붕괴된 물체(collapsed object)' 등으로 불리기도 했지만, 최근까지도 과학자들은 그 존재를 믿지 않았다. 블랙홀이 빛도 통과할 수 없다면 그 존재를 확인할 수 있는 방법은 블랙홀에 접근하는 것뿐이다. 하지만 블랙홀의 존재를 확인할 수 있는 과학적인 방법은 있다. 근래에 인공위성의 X선 망원경으로 강력한 X선을 방출하는 천체들이 관측되고 있는데, 이를 통해 블랙홀의 존재를 추정하고 있다. (후략)

네이버 학생백과(출처 : 살아있는 과학 교과서 11 : 과학의 개념과 원리)

그런데 블랙홀에 접근하는 것만이 그 존재를 확인하는 방법이라면서도 망원경을 통해 그 존재를 확인할 수 있다고 한다. 그러면서도 X선 망원경으로 관측하여 '추정'한 것 중 하나는 8,000광년 떨어진 곳에 있는 백조자리 X-1이라고 한다.

태양의 20배가 넘는 청색 초거성과 쌍성을 이루며 회전하고 있는 것으로 '여겨지고' 있는 이 천체는 청색 초거성으로부터 흘러나오는 가스가 모여

들어 원반 형태로 나타나고 있고 강한 X-선을 방출한다고 한다.

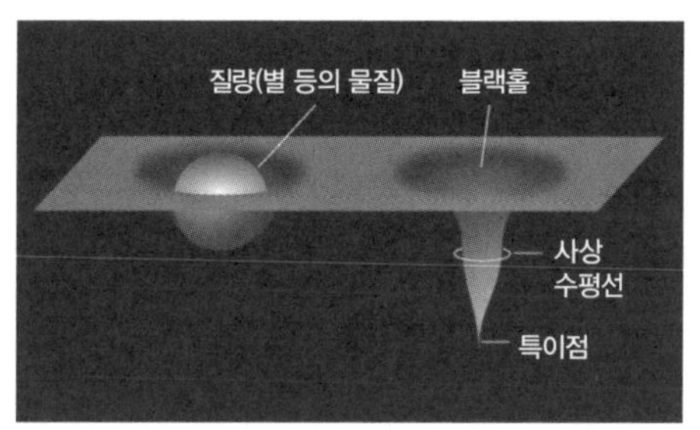

▌블랙홀의 구조를 표현한 그림. 큰 별의 폭발과 수축은 한 점(특이점, singularity)으로 모아지며 모든 것을 흡수한다는 것. 빠져나오지 못하는 지점을 사상 수평선(event horizon)이라고 함.

그래서 과학자들은 백조자리 X-1이 블랙홀의 유력한 후보지일 것으로 보고 있다는 것이다. 또한 눈에 보이지 않고, 알 수도 없는 천체에 나타나는 거대한 에너지의 흐름은 블랙홀의 존재가 아니면 설명되지 않기 때문에 그렇게 추정한다는 것이다.

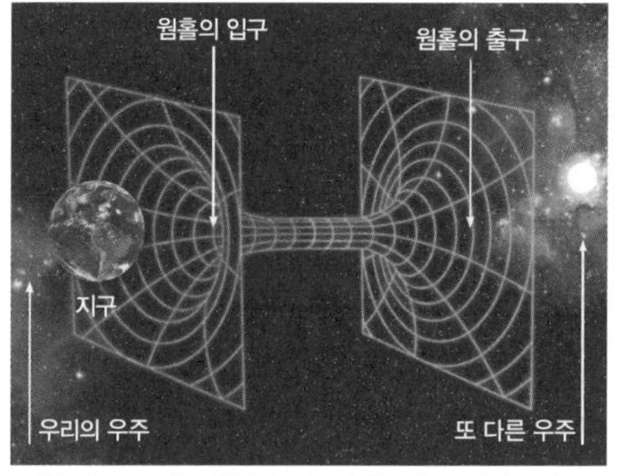

▌다른 우주로 가는 웜홀의 입구와 출구를 표현한 그림

그러면 모든 것을 삼키면 그것들은 다 어디로 갈까? 우주의 에너지는 그 총량이 한결같기 때문에 다른 것으로 바뀌더라도 없어지지는 않는 것이 불변의 과학인데 말이다.

그래서 흡수한 물질들이 빠져 나가는 공간이 있다고 하는데, 이것을 '화이트홀'이라고 부른다. 그리고 블랙홀(black hole)과 화이트홀(white hole)을 연결하는 통로를 시간과 공간의 '벌레 먹은 구멍'이라는 의미로 '웜홀(wormhole)'이라 한다. 웜홀은 말 그대로 벌레 먹은 곳, 블랙홀의 취약 지점이라 다른 곳으로 가기가 조금 더 쉬운 통로라고 한다.

블랙홀로 들어간 것들은 화이트홀로 빠져 나오게 되는데, 웜홀은 전혀 다른 두 세계의 다리 역할을 하는 것이다. 그래서 웜홀을 통해 시간과 공간이 전혀 다른 차원을 넘나드는 다중우주 개념이 나오는 것이다. 위 백과사전은 계속 설명한다.

> 웜홀은 1969년 영국의 물리학자인 휠러(J. A. Wheeler)에 의해 붙여진 이름이지만 이론적으로 생각할 수 있는 공간으로 실제 형성 과정에 대해서는 전혀 알 수 없다. (후략)

말하자면 블랙홀, 화이트홀, 웜홀 등은 과학자들의 머리와 노트에만 있는 것이다. 너무나 엄청난 우주이기 때문에 보여줄 수 없을 뿐 실제 존재하는 것이 아니냐고 물을 수 있지만, 그렇지 않다. 실체도 검증할 수 없다. 또한 아인슈타인도 이런 공간을 통해서는 어디에도 도달할 수 없다고 했다. 시간조차 가두며 모든 것을 한 점으로 삼키는 블랙홀이라면 들어가는 순간 산산조각이 날 것이기 때문이다.

지구인을 도운 그들은 누구인가?

쿠퍼는 그 모든 것을 흡수한다는 블랙홀에 들어간 뒤에도 어쩐지 멀쩡하다. 그는 우주선을 이탈해 어떤 공간에 빠지게 되고, 우주의 미아가 될 위기 속에서 벽처럼 생긴 공간들을 헤맨다. 그때 우주선의 컴퓨터가 그에게 알려준다.

"그들이 시공을 시각화해주었습니다."

그러니까 손으로 만질 수도 느낄 수도 없는 시간과 공간을 누군가가 인간이 느낄 수 있는 3차원으로 변환해 주었다는 뜻이다. 그 블랙홀은 웜홀을 통해 다양한 세계, 다양한 시간대를 연결하는 곳이었다.

결국 쿠퍼는 과거 암울했던 시기에 자기가 떠나왔던 시절의 지구와 연결되고, 이미 늙어 임종을 맞이하는 딸 머피도 만나게 된다. 그리고 '그들'이 선사한 우주정거장에서 지구인들이 행복하게 즐기던 테마를 쾌적하게 형상화한 곳을 지구인들에게 제공하는 '해답'의 주인공이 된다.

이런 신비한 일들과 그래픽 장면들은 미지의 우주를 현실처럼 눈앞에 보여준다. 문제는 이미 언급했듯이 이 영화가 단지 공상과학이 아니기 때문에 사람들이 사실로 이해한다는 것이다. 그저 꿈꾸는 것이라면 누가 뭐라할 일은 아니다. 그러나 과학이 가져다 줄 것 같은 막연한 미래의 해답이 있다고 믿으면서 산다면 지구인은 점점 오리무중에 빠지게 될 뿐이다.

이 영화의 포인트는 외계인이다. 쿠퍼가 용감하게 블랙홀로 뛰어들긴 했지만 결국 구원자는 그들이었다. 이는 외계에 우리보다 훨씬 고등한 존재들이 살며, 그들은 전지전능에 가까운 능력의 소유자임을 암시한다. 이는 지구의 인류도 시간을 거듭하면 그런 존재로 나아간다는 것을 뜻하기도 한다. 이것이 꿈으로 끝난다면 상관없겠지만 하나의 신앙처럼 여겨 진짜 그런 존재를 찾거나 만날 수 있다는 세계관을 가지게 된다면 개인의 모든 관점이 뒤바뀔 것이다.

과학자들은 지구라는 미개한 별에 사는 점(点)과 같은 존재로 우리 스스로를 표현한다.

"이 넓은 우주에서 오직 지구만이 생명의 구역이라면 공간의 낭비가 아닌가?"

이 역시 외계인 추적자들이 애용하는 말이다. 그들의 말은 마치 설계자를 염두에 둔 것 같다. 저절로 어떤 공간의 넓이가 생기든 말든 무생명에게 '낭비'라는 개념은 어울리지 않는 말 아닌가. 그런 생각은 자신들의 희망사항이지, 설계자의 의도나 입장을 고려한 말이 아니다.

'골프공의 크기에 비해 골프장은 너무 넓다.'고 하는 이야기와 다르지 않다. 다들 달걀보다도 작은 골프공만 쳐다보는데 무엇 때문에 그리 넓은 필드가 필요하냐고 물을 수는 없는 노릇이다. 다 쓸 데가 있는 공간이다.

▮ 평범한 사람들에게 나타나는 외계인과의 접촉을 마치 실화처럼 다루는 〈미지와의 조우〉

외계인을 호의적으로 표현한 영화는 매우 많다. 특히 스티븐 스필버그는 〈미지와의 조우(1977)〉를 비롯해 〈ET(1982)〉, 〈8번가의 기적(1987)〉 등 많은 영화를 만들어냈다.

〈미지와의 조우〉는 외계 존재들이 나타나 사람들을 데려갔다가 보내주고, 교신을 하는 등 신비한 능력을 선사하는 영화이고, 선풍적인 인기를 끌었던 〈ET〉는 300살이 넘는 우주 노인이 지구에 식물채집을 왔다가 아이들과 만나는 이야기이다. 또 〈8번가의 기적〉은 에너지 부족으로 불시착한 비행접시들이 빈민가인 8번가 사람들과 잘 지내다가 돌아갔지만 자신들을 도와준 지구인들이 어려움에 처하자 동료들을 잔뜩 대동하고 다시 그 거리에 등장한다는 내용이다.

특히 〈ET〉는 포스터에서 보는 것처럼 미켈란젤로의 작품 천지창조를 패러디하고 있는데, 언어를 통째로 습득하고 초능력을 발휘하며 인자한 성품을 지닌 외계인이 마치 전지전능한 신적 존재처럼 등장한다. 이런 모습들을 통해 우주와 외계인은 점점 신앙의 형태를 띠게 되고, 실제로 외계인이 지구의 창조자라고 주장하는 이들까지 생겨나게 되었다.

▮ 인간을 뛰어넘는 능력의 외계인이 등장하는 스필버그의 영화 〈ET〉

인간은 아주 미미한 지성으로 우주와 모든 현상을 애써 해석하려고 한다. 어느 TV 프로그램에서 암흑물질, 즉 아직 실체를 파악하지도 못한 96%의 물질을 찾기 위해 애쓰는 존재들이 단 4%의 파악된 물질을 가지고 우주를 논할 수 있겠는가 하며 토론하는 장면을 본 적이 있다. 거기서 한 뇌과학자는 돌가루들이 폭발해 여러 가지 물질이 되었는데, 그중 인간은 어찌어찌 그래도 우리가 이처럼 미미한 존재임을 깨닫기라도 한다는 것이 기적이 아니겠느냐고 말했다.

누군가 생각할 힘을 주지 않고서는 어떤 메커니즘으로도 돌가루의 조합인 뇌로 우주의 힌구석도 계산할 수 없다. 이 얼마나 황당한 궤변인가? 이런 생각으로 자신을 돌가루의 집합체로 생각한다면 그들에게 무슨 윤리와 도덕과 목적이 필요하겠는가?

그들은 지금 빅뱅이니 블랙홀이니 하는 것들을 다 믿을 수는 없다고 인정한다. 수백 년 전에 상상했던 우주와 만물이 지금은 잘못된 것으로 판명이 되었으니 앞으로 시간이 더 흐르면 지금의 상상과 과학은 백지 상태가 될 수도 있다고 한다.

그렇게 치면 오늘날의 과학은 참 무책임하다는 생각이 든다. 틀릴 수도 있는 것을 교과서에서 가르치고, 시험문제로 내고, 마치 가능한 일인 양 정설로 유포하고 있으니 말이다.

우주의 누가 인간의 문제를 해결해줄 것인가?

영화에서 문제 해결을 외계의 존재가 했다는 내용은 인간에게 그런 능력이 없음을 시인하는 것이다. 그런데도 영화는 "우린 답을 찾을 것이다. 늘 그랬듯이"라고 말하고 있다.

방법은 늘 외계에 있었는데, 지구인의 용기가 외계인의 도움을 이끌어 결국 해답을 찾았다는 것이다. 그토록 호의적인 외계인들은 왜 진작 죽어가는 인류를 구해주지 않았을까? 수십 년을 헤매며 직접 찾아가 요청해야 비로소 응한다니, 이것이 외계인 사상이자 일종의 신앙임을 알 수 있는 대목이다.

〈형사 콜롬보〉, 〈반지의 제왕〉, 〈프렌즈〉 시리즈와 〈포레스트 검프〉 등으로 유명한 세계 제일의 스토리 전문가 로버트 맥기(R. McKee)는 모든 이야기를 한마디로 이렇게 정의했다.

> 어떤 사건에 의해 삶의 균형이 무너진 주인공이 그것을 회복하기 위해 여러 적대적인 것들과 맞서면서 자신의 욕망을 추구해 나가는 것.

▌스토리의 대가 로버트 맥기

이것은 자신을 구할 수 없는 인간이 절대자의 손길에 의탁해 생명을 건지는 종교적 과정을 그대로 보여준다. 인간의 욕망은 죽지 않는 것이며 악한 것이 없는 곳에서 편안하게 영원히 사는 것, 그리고 본래의 완전한 상태를 회복하는 것이다. 그 과정이 인간의 '스토리'이며 인간들의 역사였다.

〈인터스텔라〉에도 이런 구조는 그대로 들어 있다. 그래서 외계인은 신이며 구원자로 등장한다. 그러나 외계인은 '외계'에서 발견된 적도 없고, 우리를 찾아온 적도 없다. 그 모두가 지구에서 벌어지는 일이다. 이 영화에는 과학의 가설로 포장된 종교색이 숨 쉬고 있다. 그것은 보는 사람들의 마음을 절대적인 것에서 허황된 것으로 옮겨 가게 한다. 인간을 특별하고 소중한 존재가 아닌 우주의 먼지로 보게 만든다.

'그들'은 존재하지 않는다. 지구와 같은 행성은 어디에도 없다. 그리고 인간의 능력은 미미하여 우주에 대해 걸음마 단계도 떼지 못했다. 우주에는 블랙홀도 웜홀도 없나. 과연 우수에 어떤 실제적인 희망이 있다는 것인가? 오직 희망은 인간에게만 있다. 그리고 우리가 특별하게 살고 있는 우주 유일의 땅인 지구에만 있다. 과학자들이 아무리 자신들의 희망사항을 외쳐도 아직까지는 그렇다.

과학은 말 그대로 과학이지 종교가 아니며, 인간을 구원하는 도구가 아니다. 그것은 과학의 목적도 아니다. 이처럼 과학을 종교로 삼아 참된 길에서 눈을 돌리게 하고 유물론적인 세계에만 집착하게 만드는 이들을 조심해야 한다. 인터스텔라… '성간'에는 아무도 살지 않는다.

소스 코드

Source Code

다중우주에 또 다른 내가 산다?

제작 : 2011년
감독 : 던칸 존스
주연 : 제이크 질렌할·미셸 모나한

타인의 뇌파에 접속해 과거의 기억을 알아내 테러범을 찾아내는 프로젝트

8분간 과거에 접속해 미래를 바꾼다?

시카고 시에 열차 폭탄 테러가 일어난다. 그러나 이 사건은 연이어 일어날 대규모 방사능 테러의 예고편에 불과하다는 정보가 있다. 이에 중동에서 전쟁을 치르다가 호출된 콜터 대위는 소스 코드(source code) 시스템을 이용해 기차에서 희생된 한 남자의 마지막 기억으로 접속해 들어가 폭탄을 찾고 범인을 잡는 임무를 수행하게 된다. 주어진 시간은 한 번에 8분. 여러 번 접속이 가능하지만 6시간 뒤로 예고된 대형 테러를 막으려면 시간이 없다. 콜터는 실패를 거듭하며 과거로 돌아가는 과정에서 이 시스템의 정체

를 알게 되고, 사신이 이미 사망해 뇌파만 살아 있다는 사실도 알게 된다.

〈소스 코드〉는 비주얼이 현란하거나 액션이 화려한 영화는 아니다. 이와 맥락을 같이한다고 볼 수 있는 〈인셉션(2010)〉, 〈마이너리티 리포트(2002)〉, 〈매트릭스(1999)〉 등에서 보는 웅장한 시각효과와 스케일을 기대하고 볼 만한 영화는 아니다. 그러나 스토리를 구성하는 요소에 뭔가 모를 매혹적인 요소가 관객들의 관심을 끈다. 그것은 미국의 한 매체가, 너무 많은 숙제를 던져 주는 이 영화의 제작자들이 이야기의 뼈대가 되는 양자역학적 개념과 이론을 제대로 이해하지 못한 것 같다는 부정적인 평론을 하면서도, 그럼에도 그 자체가 이 영화의 매력이라고 한 것과 같은 맥락이다.

실제로 대부분의 평론가들도 기대 이상의 호평을 내놓았고 관객들의 평점이나 흥행 성적도 매우 높은 편이다. 그렇다면 이 영화가 그토록 사람을 잡아끄는 힘은 무엇일까.

'소스 코드'란 원래 컴퓨터 용어로 영화에서는 뇌파를 통해 과거에 접속해 타인의 기억에 담긴 정보를 알아내는 최첨단의 기밀탐색 프로그램이다. 소스 코드란 컴퓨터의 소프트웨어와 관련된 용어로, 프로그램의 설계도와 같다. 모든 웹페이지에서도 오른 마우스를 클릭하면 '소스 보기' 메뉴가 있어서, 그 페이지를 구현한 html 소스를 볼 수 있듯이 이미지처럼 보이는 것도 실상은 컴퓨터 언어로 되어 있다는 것에 착안한 이 영화는, 절반의 상상력과 절반의 실현 가능성을 바탕으로 만든 SF라고 할 수 있다.

몇몇 낙관적인 과학자들은 머지않은 시간에 양자역학과 물리학을 기반으로 이런 일이 실현될 것으로 보고 있으며 시간 여행까지 가능하다는 분석과 연구 결과를 내놓고 있다.

그러나 이 영화에는 함정들이 숨어 있음을 알 수 있다. 그것들을 통해 현대인들의 인본주의적 코드를 알 수 있다.

사람은 늘 불가능에 도전해왔지만 분명히 뛰어 넘을 수 없는 영역이 존재했다. 인간들은 이룰 수 없는 것들을 상상을 통해 이루곤 했는데, 여기에 과학적 이론을 더한 것이 공상과학(Science Fiction)이다. 오랜 세월 동안 불가능한 일을 꿈꾸도록 많은 사람을 속여 온 상상이다.

공상과학은 할리우드의 기술력과 만나 최고의 비주얼로 완성도를 높여왔고, 이제는 입체로 볼 수 있는 시대가 됐다. 앞으로는 영화 속으로 들어가는 가상현실 등 어떤 형태로 불가능에 도전할지 알 수 없다. 그래서 이 영화에 흐르는 코드는 무엇이든 가능하다는 긍정주의이며 인간의 힘으로 테러의 위협을 벗어날 수 있는 색다른 방법의 제시이다.

황당한 상상, 평행우주론

콜터 대위는 현실세계에서는 죽지만 소스 코드를 통해 자신이 침투했던 남자 션의 기억 속에서 살아남는다. 그의 몸은 이미 죽고 뇌파까지 작동이 멈췄지만 그는 션의 몸을 빌려 살게 되고, 그가 소스 코드 프로그램 속에서 보낸 이메일도 현재 세계로 보내진다. 영화적 상상력을 빼놓고는 도저히 불가능한 일들이 교차해 벌어지는데, 그는 결국 다른 우주의 지구와 비슷한 세상으로 갔다는 평행우주설로 이 상황을 설명하고 있다.

현대의 우주론은 우주의 크기가 무한하다는 결론에 도달했다고 한다.

이에 따라 많은 이론들과 그에 근거한 상상력이 동원되고 있다. 평행우주론(parallel universe theory)에 따르면 무한한 우주 저 너머에 우리가 살고 있는 곳과 똑같은 다른 우주가 수없이 존재하며, 나 자신과 똑같은 존재가 있을 수 있다는 것이다.

▮ 다중우주 개념을 설명한 미치오 카쿠의 저서 〈평행우주〉

그러나 우주는 하나의 원리, 하나의 구조로 통합돼 있다. 우주는 멀티버스(multi-verse)가 아닌 유니버스(universe)이다. 다중적인 공간이 아니라 통합된 공간이라는 의미가 말 자체에 담겨 있다. uni는 '하나(single)'를 뜻하며, verse는 '언급된 문장(spoken sentence)'이라는 의미이다.

평행우주설은 긴 시간 동안 우주 폭발과 물질 생성이 지구와 같은 환경을 수없이 만들었고, 우리와 같은 생물체도 어딘가에 무수히 만들었으리라는 추론이다. 이는 우주의 생성부터 지금까지의 장구한 세월에 '무한대'라는 어마어마한 공간이기 때문에 가능하다는 것이다. 이런 생각에 맞춰 우주의 나이는 138억 년에서 200억 년까지 늘어나고, 빅뱅조차 그 이전에 여러 번의 빅뱅이 있었을 거라는 다중 빅뱅설까지 나오게 되었다. 이 설을 지탱하는 것은 시공의 무한함이라는 전제와, 확률이 희박한 일도 수없이 거듭되면 가능할 수 있다는 상상력이다. 수치상 0%가 아닐 뿐 아무런 의미도 없는 가능성이다.

이 엄청난 우주에서 원자들의 조합은 다양한 형태로 이루어졌을 것이므로, 지금 지구에서 관측되는 물질과 생명체들을 포함한 많은 우주와 세상이 어딘가에 또 있을 수 있다는 것이다. 나와 똑같은 존재가 같은 시간과 다른 공간 어딘가에 있다는 매우 신비한 추론이다. 이처럼 황당한 이론을 바탕으로 하기 때문에 이 영화는 이론적인 한계를 많이 드러낸다. 다큐멘터리였다면 용납할 수 없는 장치들이 끊임없이 '나의 장르는 SF니까 시비 걸지 말라'고 외치는 느낌이다.

평행우주설의 개념이 도입된 〈레이크(1998)〉라는 영화가 있었다. 어느 마을에 호수가 있는데, 그곳의 한 부분은 다른 세계로 통하는 출입구였다. 이곳을 통해 지구와 똑같은 곳에서 온 똑같은 모습의 사람들이 드나드는데, 성격은 전혀 다르며, 지구에서는 죽음을 앞둔 사람이라 할지라도 그 세계에서는 건강하다. 사람들은 그곳에서 가족을 데려오기도 한다. 이런 상상력은 영원히 죽고 싶지 않은 사람들의 머리에서 나오는 것이 분명하지만, 과학 지식이 그런 사람들의 상상 게임에 대해 아무도 책임지지 않을 학문적 근거를 마련해 주고 있다.

시간 역행, 뇌파와 마음 훔치기

이미 사망한 사람의 뇌파를 이용해 또 다른 죽은 사람의 뇌에 남은 기억 속으로 들어가 테러에 관련한 어떤 정보를 알아내는 것… 시간여행은 아니지만 이미 지나간 시간을 역행해 과거를 고치고자 하는 인간의 오래된 욕망을 드러내고 있다. 이와 관련한 공상과학물은 〈타임머신〉을 비롯해 이미 무수히 세상에 선을 보였다.

시간을 거스르고 싶은 욕구는 시간에 얽매인 인간에게는 기본적인 희망일 수도 있다. 사랑하는 이가 죽기 전, 어린 자녀가 다치기 전, 궁극적으로는 인간이라는 한계를 지닌 존재가 되기 이전의 모습을 되찾고 싶은 간절한 바람까지 연결되는지도 모른다. 그러나 어차피 시간은 되돌릴 수가 없다. 그래서 많은 사람들은 할리우드의 컴퓨터 그래픽 기술을 통해 대리만족을 느끼고 있다.

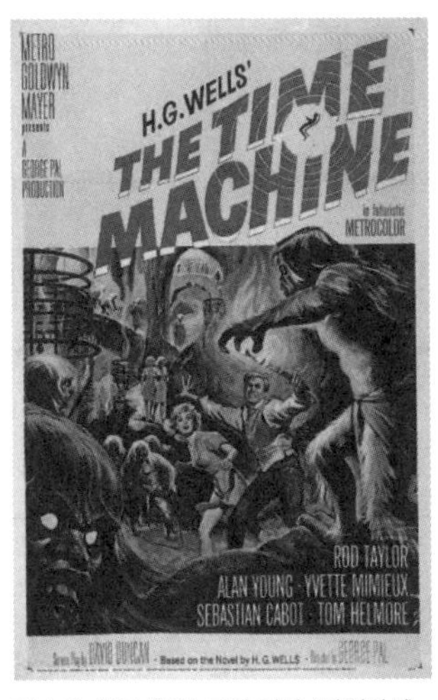

▮H. G. 웰즈 원작 고전 영화 <타임머신>

시간의 역행은 (이론상 가능하다 할지라도) 결국 불가능하다. 물리학자 스티븐 호킹도 인간이 시간의 역행에 끝내 성공하지 못할 것임을 예견한 바 있다. 만일 인간이 시간의 역행에 성공했다면, 과거와 우리 시대에 미래에서 온 자들을 볼 수 있었을 것이라는 그의 말이 너무나 당연한 것이다.

이 영화가 흥행하자 소스 코드를 통해 타인의 뇌파에 남은 기억 속으로 침투하는 기술이 10년 이내에 실현 가능할 것이라는 뉴스가 있었다. 그러나 광입자 가속기를 비롯한 무수한 '실현 가능한' 것들이 한계에 부딪히고 있으므로 이 역시 희망사항 중 하나일 것이다. 사람의 기억은 숫자로 기록되거나 변환될 수 있는 것이 아니므로 이런 기술이 완성도 높게 이루어지기는 매우 어렵다.

단순히 뇌파를 기록했다가 활용하는 것은 그리 어려운 일이 아닐 수도 있다. 그렇게 되면 공상과학 만화처럼 악당들은 지도자가 늙어 죽어도 이미 작고한 두목의 뇌 덩어리가 내리는 지시를 받아 지구 정복 음모를 계속 감행할 수 있을 것이다. 죽은 오사마 빈 라덴의 지시를 받는 테러 단체가 나올 수 있다는 것이다.

사람을 추종하고 우상으로 만들기 좋아하는 인간들은 이런 기술이 나오면 특정한 지도자급 인간의 뇌파를 계속 살려 신격화하고 그 속에 안주하고 싶어 할 것이다. 한 공상과학 소설에서는 죽은 아내의 뇌파를 이용해 만든 기계를 만나는 남자의 이야기가 나온다. 그는 이미 아내가 없다는 것을 알지만 그녀처럼 생각하고 말하는 기계와 대화를 한다.

현대인들은 새로운 친구 사귀는 것을 겁내고 부담스러워 한다. 가능하면 만나는 것보다 이메일이나 채팅, 사회관계망서비스(SNS) 등으로 소통하고, 통화보다 문자를 선호하기도 한다. 어쩌다 그렇게 소통하던 사람들과 오프라인에서 만나기라도 하면 괜히 어색하다. 이런 괴상한 인간관계의 끝은 친구나 원하는 대상의 생각 패턴을 코드화하여 게임을 즐기듯 소통하는 형태가 되지 않을까 싶다.

아마도 그런 시스템이 나오면 폭발적인 인기를 끌지 않을까? 인기인의 뇌파로 만든 프로그램은 그것이 누구의 것이냐에 따라 매우 비싼 값에 거래될 것이 분명하다. FIFA 온라인 같은 축구 게임에서 박지성과 메시 같은 선수를 사고팔듯이 연예인과 정치인의 뇌파를 사고파는 일도 가능할 것이다.

〈존 말코비치 되기(1999)〉라는 엽기적인 상상력의 영화에서는 실명으로 등장하는 배우 존 말코비치의 머릿속에 들어가 그가 느끼는 것을 느껴볼 수 있는 통로가 등장한다. 어쩌다 함께 존 말코비치의 머리로 동시에 접속하게 된 한 쌍의 남녀는 한 사람의 머릿속에서 셋이 동시에 야릇한 경험을 공유하는 장면도 나온다.

▌다른 사람의 의식 속으로 들어가 본다는 설정의 영화 〈존 말코비치 되기〉

〈소스 코드〉에서는 주인공이 션이라는 남자의 모습을 빌려 그와 처음 알아가는 여자에게 호감을 갖게 되고, 결국 그녀에게 콜터 자신으로 다가가 새로운 세상을 맞이한다. 수단과 방법을 가리지 않고, 타인이 되어서라도 삶을 이어가고 싶은 인간의 욕망이 이 영화에 드러나 있다. 이 영화의 매혹적 요소가 바로 이런 불가능한 것에 대한 대리만족이 아닌가 싶다.

모두 무사할 것이다?

이 영화의 많은 욕망 중에 가장 극적이고 희망적인 대목은 바로 주인공의 이 대사였다.

"모두 무사할 겁니다(Everything's gonna be OK)."

빅뱅설이든 평행우주설이든 모두 진화론에 기초한 가설이다. 진화론은 무질서도의 증가, 즉 모든 것은 힘을 잃고 흐트러진다는 당연한 우주적 법칙(열역학 제2법칙) 속에서도 점점 응집되고 체계를 갖추며 스스로 알아서 마치 계획한 듯 모든 것이 조합되고 완성된다는, 그야말로 해괴한 비과학적 논리이다. 어떤 증거도 없는 이런 주장을 믿으려면 종교적 신념이 필요하다. 지적 존재의 창조를 믿는 것 이상의 믿음이 요구된다.

마찬가지로 이처럼 위험한 테러와 핵무기와 자연재해 속의 위험한 지구촌에 살면서 '모든 것은 무사할 것이다'라고 말할 수 있으려면, 어떤 신념이 필요하다.

콜터 대위는 자신을 담당한 기밀 작전 수행원 굿윈을 향해, 테러의 위험을 앞에 둔 가족과 사람들에게 '모두 무사할 것'이라고 전해 달라는 말을 여러 번 반복한다. 그가 이렇게 말한 이유는 자기가 처음에는 영문도 모르고 투입된 작전에서 당황하고 거부하다가, 이내 테러 용의자를 찾아내려고 애쓰며 자신이 침투한 션이라는 남자와 동행하던 여자를 살리려는 시도를 하면서부터였다. 용의자를 잡은 후에도, 이 프로그램 자체가 시공의 이동이 아니며, 과거를 바꿀 수는 없다는 설명을 들으면서도 그는 포기하지 않았다.

그런데 어차피 목숨이 다한 콜터는 소스 코드라는 가상현실 속에서 죽어가면서도 모두 무사할 거라고 전해달라는 말을 남긴다. 테러 용의자를 잡았지만 세상은 안전한 곳이 아님에도 그가 이렇게 말한 것은 자신이 우주 속의 또 다른 세계로 이동해 방금 호감을 갖게 된 여인과 함께할 수 있었기 때문이다.

한치 앞도 모른 채 온갖 위협과 불안 속에 살면서 모두 안전할 거라 말하는 이들은 그것을 긍정이 가져다주는 우주적 힘으로 믿고 스스로와 세상을 향해 말한다. 모두 무사할 거라고. 모두 안전할 거라고…. 그러나 실상은 전혀 안전하지도 무사하지도 않다는 것을 알게 될 날이 올 것이다. 그때는 인간이 자신을 살리는 일이나 지구를 살리는 일에 이미 늦은 후일 것이다. 소스 코드 속에서 안락사하거나 우주 저 너머에 있는 또 다른 세상으로 옮겨가는 사치는 그들에게 허락되지 않을 것이며 정신을 놓고 욕망의 코드를 좇아 살아온 세월을 저주하게 될 것이다.

그래서 콜터가 남아있는 아버지와 시민들을 위로하던 그 말은 이렇게 바뀌어야 한다.

"모두 무사할 것이다. 오직 '소스 코드'라는 허황된 상상 속에서만."

| 생각하는 과학칼럼 1 |

'죽음'은 없다? 정말일까?

2014년에 말레이시아 항공 여객기가 수백 명을 태운 채 어디론가 사라졌다. 이 뉴스는 한동안 지면을 장식하다가 항공기와 함께 증발하고 말았다. 모처에서 잔해가 발견됐다는 소식 외에는 사건의 진상이 지금껏 밝혀지지 않았다.

당시 잔해조차 나오지 않는 오리무중의 상황이 지속되던 때, 식당에서 한 무리의 삼십대 여성들이 나누는 이야기를 들었다. 아이 키우는 이야기를 나누는 그들은 직장 동료였다. 대화는 일상에서 시사적인 것으로 흘러 실종된 여객기로 옮겨갔다.

"대체 어디로 사라진 걸까요…? 이렇게 오래도록 발견이 안 될 리가 없는데…."

"그러게요. 시간의 블랙홀로 빨려 들어갔나?"

이렇게 생각하는 것도 무리는 아니다. 인공위성에서 지붕 위의 골프공도 찾을 수 있다는데 그렇게 큰 보잉 여객기가 자취를 감추다니 말이다.

"그런데 우주는 너무 넓어서 다른 차원이 많고, 이 세계에서 사라져도 반드시 없어지는 건 아니래요."

아까부터 대화를 주도하던 한 여성이 우주에 대한 비교적 최근의 학설들을 말하려는 모양이었다. 이니나 다를까, 다른 차원으로 옮겨간다는 식의 이야기가 나온다.

"말하자면, 우주는 너무나 크고 넓기 때문에 여기서 사라져도 다른 차원의 우주로 갈 수도 있고, 어딘가에 또 다른 내가 있을 수도 있대요."

"아하~."

다들 고개를 끄덕이며 대단하다는 눈치다. 여자들끼리 모여 남편과 시댁 흉이나 연예인 이야기로 시간을 보내는 것보다는 나름 진지해서 좋은데, 대화가 점점 삼천포로 빠지는 게 문제였다.

"그래서 요즘처럼 사람들이 사는 게 팍팍하고 힘들면 종교를 찾는다고 하잖아요. 그런데 힘들어하는 사람한테는 종교 말고 우주에 대해 알려주라고 하더라고요. 그러면 삶에 그렇게 연연할 필요가 없게 된다는 거예요. 죽어 없어지는 게 아니라 다른 차원으로 옮겨 가는 거니까요."

"맞네, 맞네~."

"그러게요..."

다들 공감을 했고, 한 여성은 맞장구를 치면서 말했다.

"우리 남편이 물리학을 전공했잖아요. 그래서 만날 알아듣기 힘든 이야기를 많이 하는데, 우리 남편 얘기도 비슷한 거예요."

요즘 각종 포털과 카카오스토리, 페이스북 등 SNS를 보면 그럴듯하게 보이는 과학뉴스가 가끔 등장한다. 사실은 매우 황당한 가설들이지만 멋진 그래픽과 함께 세계적이라는 학자들의 주장이 담겨 있어서 꽤 많은 이들이 신비롭게 생각하며 '좋아요'를 누르는 경우가 많은 것 같다.

그런 과학 뉴스 중에 최근에 가장 황당했던 것은 '죽음이란 존재하지 않는다'라는 기사였다. 그 여성이 한 이야기가 이런 뉴스를 듣고 본 지식이었다.

"죽음은 존재하지 않는다" 새 과학이론 주장

대부분의 인간은 죽음을 두려워한다. 사람들은 눈에 보이는 육체만을 생각하고 육체가 죽기 때문에 '인간은 죽는다'고 생각한다. 하지만 죽음은 우리가 생각하는 것처럼 끝이 아님을 알려주는 새로운 과학이론 하나가 소개됐다.

미국의 생명공학 기업 어드밴스트 셀 테크놀로지(ACT)사의 최고 책임자이자 의학박사 겸 과학자인 로버트 란자 씨가 설명한 과학이론이다. 그는 양자물리학과 다중 우주이론을 근거로 바이오센트리즘(biocentrism, 생물중심주의)이라는 이론을 소개했다. 이런 이론들에 따르면, 수많은 우주가 존재하며 지금 일어나고 있는 모든 일이 다른 우주에서도 일어날 수 있다는 것이다.

이 이론에 따르면, 죽음은 실질적인 측면에서 존재하지 않는다. 여러 우주들 중 한곳에서 어떤 일이 일어나든지 상관없이 수많은 우주들이 동시에 존재하고 있기 때문이라는 것이다.

사람이 육체적으로 사망선고를 받았을 때 두뇌에 남아있는 20와트의 에너지는 '내가 누구지?'라는 느낌을 갖게 한다고 한다. 이 에너지는 사람이 사망한 후에도 사라지지 않는다. 과학의 확실한 한 가지 원리에 따르면 에너지는 결코 사라지지 않는다. 즉 만들어지지도 파괴되지도 않는다는 것이다. 그렇다면 이 20와트

의 에너지는 한 세계에서 다른 세계로 이동하는 것일까. (중략)

죽음이라는 것은 시간과 공간이 없는 곳에서는 존재하지 않는다. 아인슈타인이 먼저 사망한 베소라는 친구를 향해 "나보다 조금 앞서 이 이상한 세계에서 떠났군"이라고 말한 것도 이런 맥락이다. 란자 박사는 "불멸이라는 것은 시간 속에서 끝이 없이 영원히 존재한다는 의미보다는 시간 밖에서 함께 거주한다는 것을 뜻한다"고 말했다. (후략)

네이버 뉴스_2013 .11 .09

확실한 과학의 법칙으로는 에너지가 만들어지지도 파괴되지도 않는다면서, 이 우주는 대체 어디로부터 와서 그토록 다중적으로 진화해 나갔다는 것일까? 시간과 공간이 없는 곳에서는 죽음이 존재하지 않는다고 했다. 그렇다면 '나'라는 존재는 시간도 공간도 없는 곳으로 옮겨갈 수 있다는 것일까? 그곳은 구체적으로 어디이며, 실제로 얼마나 가능하기에 지금 죽어도 두려워할 필요가 없을 정도라는 말일까? 참으로 선문답 같은 이야기이다.

"불멸이라는 것은 시간 속에서 끝이 없이 영원히 존재한다는 의미라기보다는 시간 밖에서 함께 거주한다는 것을 뜻한다."

그래서 인간이 수명을 다하면 죽는다는 것인가, 산다는 것인가? 시간 밖에서 거주하다니, 두꺼운 책으로 설명하면 불가능이 현실이 된다는 말인가? 그런 이론은 역사적으로 목격된 적도, 증언된 적도, 경험할 수도, 증명할 수도 없다. 과연 그런 상상이 우리에게 한 줌의 실체라도 보여줄 수 있는 것일까? 아인슈타인이 와도 그 어떤 다른 차원을 보여주지 못할 것이다.

이런 이론은 과학보다는 차라리 사이비 종교의 교리와 비슷하다. 제대로 된 종교는 역사성과 증거와 신빙성과 체험자가 있어야 존재한다. 그런데 그들의 과학은 어떠한 타당한 설명도 없이 근거 없는 낙관론을 펴고 있다. 선과 악조차 말하지 않는다. 죽음이 소멸이 아니라 어디론가 옮겨가거나 윤회의 형태로 다시 살아간다고 주장할 뿐이다. 대개의 종교는 스스로의 선행을 통해 더 나은 곳으로, 더 나은 존재로 진화해 결국은 신이 된다고 말한다. 죽음은 없다는 것이다. 그들의 과학과 많이 닮지 않았은가?

공상과학 작가 아이작 아시모프(I. Asimov)는 〈황금알을 낳는 거위〉라는 소설에서 거위의 알껍데기가 황금으로 변하는 과정의 메커니즘에 대해 설명한 바 있다. 그 소설을 보면 정말 거위의 체질에서는 거위가 먹는 먹이가 배 속에서 핵융합 반응을 일으키며 황금으로 변할 수 있을 것만 같다. 그러나 그런 일은 현실에서는 불가능하다. 제 아무리 이론

▮ 영화화 되었던 〈아이로봇〉, 〈바이센테니얼 맨〉 등의 원작자인 인기 SF 작가 아이작 아시모프

적인 설명이 그럴듯해도 실체가 없는 것이다. 불가능한 것을 가능한 것처럼 설명했을 뿐이다.

그렇게 헛된 상상으로 꾸며낸 이야기를 믿는 것이 현대인의 고달픈 삶에 위안이 되고 있다니, 그 결말은 과연 누가 책임을 질 것인가? 아무런 실체도 없는 이론에 몸과 혼을 의탁하겠다는 사람들…. 참으로 안타깝고 딱한 일이다.

그런데 그날 식당에서 본 여성이 중간에 잘못 말했다 싶었던지 정정한 부분이 있다.

"그렇게 힘들어하는 사람은 종교를 찾지 말고 우주를 믿으라고… 아니, 우주를 알려주라고 하더라고요."

이렇게 말했었다. 우주에 대해서 '믿는다.' 그 말이 맞는 것이다. 확인할 수 없는 우주는 다 알 수 없고, 그저 믿는 것이다. 이제 그들은 그것을 선택했다. 무엇을 믿든지 각자의 자유지만 그 책임은 피할 수 없을 것이다.

토탈 리콜

Total Recall

화성 개발의 야심찬, 혹은 야무진 프로젝트

제작 : 1990년
감독 : 폴 버호벤
주연 : 아놀드 슈워제네거·샤론 스톤

여행의 기억 주입 과정에서 화성의 거대한 음모를 알아가는 전직 요원의 이야기

도매가로 기억을 팝니다

SF의 고전이 된 이 영화는 지금 보아도 손색이 없을 정도로 완성도가 높다. 2012년에는 리메이크 작이 나오기도 했다. 〈페이첵(2003)〉 등의 원작자로 유명한 필립 K 딕(P. K. Dick)의 소설 〈도매가로 기억을 팝니다〉를 영화화한 것이다. '토탈 리콜'은 미래의 여행사이며, 직접 가지 않은 곳에 다녀온 경험을 기억으로 주입해주는 기업이다.

주인공 하우저는 화성 여행의 기억을 주입받으려다가 자신의 현재 생활과 주변 상황이 모두 역으로 주입받은 것을 알게 되었다. 그 결과, 자신이

▮ 콜린 파렐 주연의 동명 리메이크 작

▮ 팀 버튼 감독의 〈화성침공〉

원래 지구의 식민지인 화성을 자신의 왕국으로 장악해 악한 일을 일삼던 코하겐의 오른팔이었음을 알게 된다. 그는 화성으로 가서 그곳의 돌연변이들을 해방시키고, 외계인들이 오래전에 만들어 놓았으나 악당들이 사용하지 못 하게 한 거대한 자정장치를 돌려, 화성에 인간이 살 수 있는 대기를 만든다.

여기서 알아볼 것은 이 영화의 스토리보다는 화성에 관한 것이다. 영화는 공상과학이긴 하지만 사람들은 대개 달 다음으로는 화성을 떠올린다. 화성 탐사 관련 뉴스가 자주 보도되니 인류가 조금만 노력을 기울이면 갈 수 있는 곳으로 여겨지기도 한다.

영화로도 많이 만들어졌다. 팀 버튼이 B급 원작을 리메이크한 〈화성침공(1996)〉은 침략자 화성인들에 맞서는 이야기를 담고 있다. 〈빽투더퓨처(1985)〉의 정신없는 박사 역의 크리스토퍼 로이드가 나오는 코믹한 영화 〈화성인 마틴(1996)〉의 첫 장면은 화성 탐사선이 황량한 벌판을 지나다가 '이곳엔 아무것도 없음'이라는 내용을 지구로 전송하자마자 계곡에서 현란한 비행선과 복잡한 도시가 나타나고, 그곳에 살던 외계인 마틴이 지구로 오게 된다는 내용이다.

화성이 가장 가까운 별로 인식되면서도 지구와는 거리가 있는 곳이라 그곳에 누군가가 있다면 인간과 비슷하면서도 많이 다를 것이라는 막연한 생각들을 하는 것 같다. 그래서 SF에도 많이 등장했다. 국내 한 TV 예능 프로그램은 〈화성인 바이러스〉라는 제목으로 성형중독자라든지 설탕이나 마요네즈 등을 보통 사람보다 훨씬 많이 먹는 사람, 엄청난 대식가 등을 소개하기도 했다. 외계인이라 할 정도로 유별나다는 것이다. 또한 존 그레이(J. Grey)의 베스트셀러 〈화성에서 온 남자 금성에서 온 여자〉는 남녀의 다름을 기막힌 비유의 제목으로 표현해 큰 성공을 거두었다.

화성에서 돌아온 사람들?

그러면 화성은 어떤 곳이며 인류와 얼마나 가까운 곳에 있는 행성일까? 얼마 전 포털에 뉴스 제목 한 줄이 떴다.

"8개월 만에 마신 지구의 공기"… '화성'에서 귀환한 과학자들

자, 화성에 대해 영화 같은 것 외에는 아는 것이 별로 없는 사람이 이 뉴스 제목을 본다면 어떤 판단을 하고, 어떤 정보를 얻게 될까?

1. 과학자들이 화성에 다녀옴.
2. 화성에 다녀오는 데는 약 8개월이 소요됨.
3. 화성에 체류했었다면 단순 왕복에는 그보다 적은 기간이 소요됨.

이런 것이 아닐까? 그런데 실제는 그렇지 않다. 일단 이 3가지 조항에 대한 정답은 이렇다.

1. 화성에 다녀온 과학자는 없음. 아직 누구도 화성에 갈 수 없음.
2. 화성에 내리지 않고 돌아와도 약 3년이 소요되지만 그런 기술은 없음.
3. 화성에 체류할 수 없음.

그러면 왜 저런 뉴스가 나왔을까? 뉴스의 원문 기사를 보자.

미국 하와이 마우나로아 화산에 설치된 '화성 가상 실험실'에서 8개월 간 실험을 실시해 온 과학자들이 8개월 만에 무사히 프로젝트를 마치고 바깥 공기를 들이마셨다. AP 등 해외 언론의 보도에 따르면 하와이대학과 미 항공우주국이 손잡은 이 프로젝트는 일명 'HI-SEAS'(Hawaii Space Exploration Analog and Simulation)로 불리며, 이는 장기간의 우주여행과 화성 체류가 신체에 미치는 영향의 분석을 주된 목표로 한다.
이 실험실은 화성의 토양과 가장 유사한 마우나로아 화산에 세워진 것으로, 약 30평형 대의 돔형 가상시설이다. 모든 환경을 화성과 유사하게 설정했으며, 실험에 참가한 과학자 6명은 밀폐되고 통제된 환경인 돔 안에서만 운동과 식사 등을 해결해야 했다. 내부의 기압이나 온도 역시 화성에 지어질 기지와 유사하게 설정돼 있었으며, 과학자들은 이 안에서 수시로 신체검사를 받아가며 다양한 테스트에 응했다. (중략)

한편 NASA 측은 미래에 실시할 화성 이주 프로젝트에 이번 HI-SEAS 프로젝트에서 얻은 데이터를 적용할 것이며, 이를 통해 다양한 문제점들을 미연에 방지하고 대비할 수 있을 것으로 기대했다.

서울신문_2015. 6. 17

또 NASA가 개입된 뉴스였다. 화성 가상실험실을 만들어 놓고 여러 가지 실험을 했다는 것이다. 그런데 왜 8개월만 했을까? 화성에 다녀오려면 더 시간을 우주선에서 보내야 하는데 말이다. 그러면 가상실험을 할 정도로 화성에 다녀오는 일이 가능하긴 한 것일까?

화성의 실체 제대로 알기

화성은 사람이 살기에 그리 만만한 곳이 아니다. 그런데도 저런 뉴스에 속아 가 보지도 못한 별 화성을 경기도 화성(?) 정도로 만만히 보는 이들이 있다.

〈토탈 리콜〉 중 화성에서의 꿈 장면

〈토탈 리콜〉을 본 사람이라면 하우저가 파트너와 화성의 언덕 위에 있다가 헬멧이 벗겨지면서 눈알이 튀어나오는 등 죽어가다가 꿈에서 깨는 장면을 기억할 것이다. 그처럼 화성은 얼음이 백 번 발견돼도 생명체가 존재할 수 없는 땅이다.

지구의 절반 크기에 질량은 10분의 1인 화성의 평균기온은 무려 영하 60

도이다. 지구 어디에도 이 정도로 추운 곳은 거의 없다. 게다가 최저기온은 영하 125도나 된다. 화성의 중력은 지구의 3분의 1 이하니까 100kg인 사람은 화성에서 30kg 정도가 된다는 뜻이다. 화성의 자전은 지구와 비슷해서 하루가 24시간 37분이지만 공전은 거의 두 배로 1년이 687일이 된다.

화성에는 토양이 있지만 바다가 없고, 무척 건조하다. 비도 내리지 않고 척박하다. 또한 질소가 많고 이산화탄소가 부족하여 이산화탄소를 마시고 산소를 내뿜는 식물이 자랄 수 없다. 그러므로 식량도, 산소도, 삶에 필요한 것이라고는 아무것도 없는 황량한 계곡뿐인 땅덩어리에 지나지 않는다.

▌화성탐사선 큐리오시티 호의 그래픽 자료

말이 이웃이지, 화성은 지구와 가장 가까울 때에도 5,632만 km나 떨어져 있다. 화성과 지구가 가장 가까운 시기는 15~17년 주기로 찾아오는 대접근기이다. 그 시기를 이용해도 화성에 다녀오려면 약 3년이 소요된다. 또한 화성에는 발사대가 없으므로 가장 빠른 길을 선택해 최고 속도로 다녀와도 그렇다는 것이다.

그런 장기 비행이 가능한 연료와 우주선 등 기술적 문제도 산적해 있다. 현재까지 우주에서의 최장 체류시간은 구소련의 발레리 폴리야코프가 세운 437일이니, 이것도 풀어야 할 과제이다.

화성 영구 이주 지원자를 찾습니다

2018년에 대리인을 통해 화성 여행을 하려는 억만장자부터 화성을 이주지로 개발하겠다는 사람, 심지어는 화성을 포함한 여러 행성의 땅을 (최초 점령자가 임자라는 법칙을 주장하며) 분양하고 판매하는 사람까지 있다. 이 모두가 허황되고 비현실적인 토픽 뉴스에 불과하다.

NASA는 화성이 가까운 행성으로 보이게 하려고 안간힘을 쓰고 있다. 화성 탐사 프로젝트를 극적이면서도 현실적인 일로 포장하기 위해 갖가지 언론 플레이와 홍보에 힘을 쏟고 있다.

2015년 화성 탐사선이 화성 착륙에 성공하자 본부의 상황실 장면과 탐사선의 그래픽을 교차 편집해 거의 다큐멘터리처럼 만들어 유포하기도 했다. 화성의 실체를 모르는 사람들은 그들이 화면으로 탐사선을 실시간으로 보는 것으로 오해한다. NASA는 오래전부터 공개할 것은 공개 안 하고 엉뚱한 것은 과장하고 포장해 공개하는 것으로 유명하다.

이들의 집착은 연방정부 예산 확보 때문일 수도 있다. 코넬대학 우주연구센터의 칼 세이건(K. Sagan)은 생전에 줄기차게 외계인을 찾고자 노력할 때, 가장 필요한 예산을 얻기 위해 상하위원들을 설득하는 일에 많은 노력을 쏟았다고 한다. NASA뿐 아니라 유럽우주국(ESA)도 경쟁하듯이 목성 등의 외계 생명체를 탐사하기 위한 프로젝트를 진행하고 있다.

네덜란드에 있는 마스 원(Mars One)이라는 단체는 아예 화성으로 영구 이주자를 모집하고 있다. 다시 지구로 귀환할 수 없다는 조건이 붙은 화성 이주민 모집에 무려 20만 명이 넘는 지원자가 몰려 추리고 추린 끝에 100

명을 선정했다고 한다. 2015년 초의 이야기이다.

▮ 마스 원의 화성 이주 프로젝트 상상도

지난 2013년 4월 화성에 인류 첫 영구 식민지 건설 계획을 발표했던 마스 원은 100명 중에서 다시 24명을 최종 합격자로 선발할 예정인데, 2022년에 남녀 2명씩 4명을 한 팀으로 총 6개 팀이 화성으로 출발할 예정이라 한다. 성공할 수도 없는 여행이지만 그토록 척박한 땅 화성에 내려서 대체 무엇을 할 수 있다는 것일까? 그들은 〈노잉(2009)〉 같은 영화에 나오는 것처럼 누군가 외계인이 새로운 별에 아담-이브와 같은 존재로 한 쌍씩 떨어뜨려 새로운 인류의 시조로 만들 어주기를 기대하는 것일까?

전문가들은 화성으로의 이주를 짧게는 100년에서 길게는 10만 년까지 내다본다고도 한다. 그런데 이런 엉뚱한 이벤트를 하는 자들의 속내는 무엇일까? 이들은 화성의 환경과 비슷한 곳에서 훈련을 받는 것을 리얼리티 프로그램으로 제작해 이주 비용을 충당한다는 야무진 계획을 가지고 있다는데, 터무니없는 생각이 아닐 수 없다.

화성을 비롯한 우주개발 센터들은 아무리 보아도 우주 자체보다는 지구인을 속이는 데 그 목적이 있지 않나 싶다. 우주에 관한 것은 그저 흉내만 내는 것 같고, 그들이 열중하는 것은 지구인들에게 화성과 우주가 얼마든지 정복할 수 있는 곳이며, 그곳에도 생명체가 살 수 있고, 지구에만 생물이 사는 것이 아니라는 주장을 퍼뜨리기 위해 혈안이 된 것만 같다.

게다가 초·중·고등학교 교과서들은 간간이 화성에서 외계 생명체가 존재하는 듯한 인상을 심어줄 수 있는 내용을 그림까지 곁들여 실으며 아이들의 상상력을 자극하고 있다. 그 이유는 진화론의 허구성을 감추려는 것이고, 지구인들이 진화의 신화를 현실로 인식하는 궤도에서 이탈하지 않게 하려는 것이다. 그것이 과학이고, 그것만이 과학이어야 한다는 고집의 결과물이다.

그러나 제아무리 발버둥을 쳐도 영화 밖에서 화성을 식민지로 삼는 인간을 보는 일은 우리의 일생에서, 아니 영원히 없을 것이다. 마스 원의 계획에 대한 전문가들의 시뮬레이션 결과, 우주선의 발사 후 70일 이내에 첫 사망자가 나올 것이라 한다. 이는 화성에 도착도 하기 전 사망한다는 것인데, 이를 보완하기 위해 숙면 비행을 연구 중이라고도 한다. 이런 상황인데, 화성에 정착해 살 수 있다고, 문제점은 쏙 빼놓은 채 몇 줄만 보도하는 것은 일종의 사기극에 지나지 않는다.

그들은 차라리 아놀드 슈워제네거의 모험에 만족하는 편이 더 좋을 것이다. 또한 마스 원이나 NASA의 관계자들은 그야말로 허황된 갖가지 토픽과 프로젝트를 만들어 사람들을 속이느니, 이주나 여행의 기억을 주입해 주는 '토탈 리콜' 같은 회사를 만드는 것이 차라리 현명하지 않을까?

| 생각하는 과학칼럼 2 |

NASA의 지긋지긋한 낚시질, 지구 2.0

2015년 중반, '또 하나의 지구'라는 골디락스 행성 뉴스가 또 나왔다. 너무 차지도 뜨겁지도 않은, 생명이 살 수 있고 진화했을 가능성이 있는 별이라는 것이다. 또 다른 버전의 지구라는 의미로 '지구 2.0'이라 부르는 이 행성은 너무나 먼 곳에 있는 것이라 그저 망원경으로 들여다본 것뿐인데, 어떻게 그토록 많은 사실들을 알 수 있었을까? 천문학을 조금이나마 아는 사람이라면 이런 일들이 황당한 상상임을 안다. 그들도 다 알면서 벌이는 쇼라는 것이다.

다음 내용은 NASA의 컴퓨터 그래픽과 함께 앵무새처럼 전달되는 뉴스 기사이다. 이런 뉴스는 늘 '진화'를 강조한다.

'또 하나의 지구' 케플러-452b, '지구 2.0' 유력 후보일까

'또 하나의 지구' 케플러-452b가 최초 발견됐다. NASA는 지난 23일(현지시각) 항성 '케플러-452' 주변을 공전하는 행성 '케플러-452b'를 발견했다고 전했다. 행성 케플러-452b는 지금까지 발견된 외계 행성들 중 크기·궤도 등의 특성이 지구와 가장 비슷해 '지구 2.0'의 유력한 후보로 꼽히고 있다.

이 행성은 태양과 같은 'G2'형인 항성 케플러-452 주위를 돈다. 지름은 지구의

1.6배이며, 공전 궤도는 액체 상태의 물이 표면에 존재할 수 있는 '거주 가능 구역' 내에 있다. NASA 측은 "케플러-452b가 지구보다 나이가 많고 몸집이 큰 사촌이라고 생각할 수 있다"며 "이 행성이 지구의 진화하는 환경을 이해하고 성찰하는 기회를 제공할 것"이라고 설명했다. 한편 이 항성의 나이는 60억 년으로, 우리 태양(45억 년)보다 15억 년 더 오래됐다.

동아일보_2015. 07. 25

이 뉴스의 진위여부나 진실은 그들에게 중요하지 않다. 나중에 '아니면 말고~' 하면 된다. 그냥 뭔가 진화의 흔적이 있겠거니 하도록 만들면 성공이다. 그래서 게릴라처럼 치고 빠지면서 세계인을 농락한다. 이런 식의 뉴스를 찾아보면 과거에 여러 번 터뜨렸다가 쏙 들어간 것들이 많이 나온다.

진화론자들이 화석 조작 후 발각되는 사례도 이와 비슷하고, 무책임하게 교과서에 삽입했다가 삭제한 조작과 오류 사례도 마찬가지다. 한편 이런 정보와 뉴스를 접하는 사람들은 잘못이 바로잡힌 뉴스에는 관심이 없고, 제대로 된 지식을 알지 못한 채 생을 마감하기도 한다.

NASA가 아예 지구와 대비시켜 제공한 그래픽 이미지를 보자. 아는 사람은 다 알지만 어떤 뉴스에서는 '행성 사냥꾼 케플러 망원경의 쾌거'라고 했듯이 망원경을 통해 촬영한 것

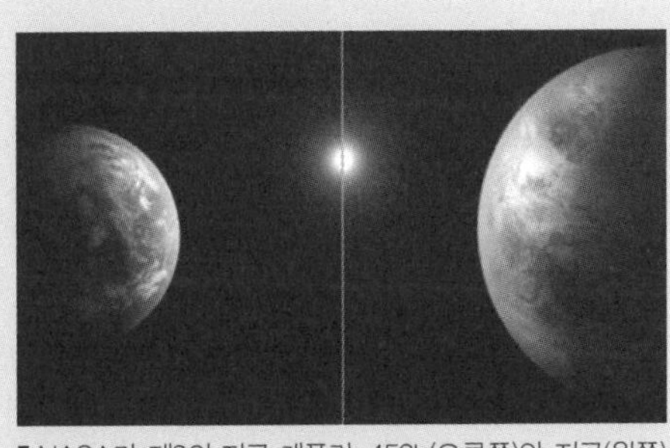

▮ NASA가 제2의 지구 케플러-452b(오른쪽)와 지구(왼쪽)를 비슷해 보이게 만든 그림 자료

으로 오인하는 일도 많다. 속으라고 만든 것이니까 당연히 속는 사람들이 있다. 그런데 이것이 소설임을 인정하는 조금은 양심적인 뉴스도 있었다.

1,400광년 거리 실제 사진 확보 사실상 불가능

NASA가 23일(현지시각) 공개한 행성 '케플러-452b' 사진은 실제 사진이 아니라 콘셉트 사진이다. 실제 사진이 아니라 과학자들이 제공한 데이터를 기준으로 상상해서 그린 모습이다. 과학자들은 케플러-452b가 지구보다 약 60% 크다고 추정했고 표면이 단단할 것으로 봤다. 기온은 물이 액체 형태로 존재할 수 있는 정도로 추정했다.

이에 예술가들은 지구와 비슷한 모습으로 케플러-452b를 그렸다. 케플러-452b의 콘셉트 디자인은 지구처럼 푸른데 지구가 푸른 것은 해양이 존재하기 때문이다. 하지만 과학자들은 "케플러-452b에 지구처럼 해양과 대륙이 존재하는지는 알 수 없다."고 했다.

케플러-452b는 지구로부터 1,400광년 떨어진 시그너스(백조자리)에 위치한 행성이다. 아무리 성능 좋은 망원경을 통해서라도 NASA가 공개한 사진과 같은 사진을 얻을 수 없다. 해당 행성에 근접해 사진을 찍는다고 하더라도 지구까지 해당 사진이 전송되려면 1,400년 이상이 소요된다. 전파는 빛의 속도와 같기 때문이다.

다음뉴스 머니투데이_2015. 07. 25

말하자면 이 행성이 실제로 존재하고, 그 환경이 지구와 비슷하다고 해도 이를 확인하려면 빛의 속도로 1,400년을 가야 한다. 빛의 속도로 이동하는 것은 불가능하니 시도해 볼 수도 없고, 시도한다 해도 1,400년이 걸린다. 게다가 진짜 그런 별인지 아무도 모른다. 그런데 희한하게도 이 기사는 얼마 후 삭제되었다.

망원경 이야기를 하면 사람들은 뭔가 형태를 실제로 관측한 것으로 생각하기 쉽다. 아니, 그렇게 생각하는 것이 상식이다. 그런데 이 또한 사실과 다르다. 한 시사 뉴스 프로그램에서 우종학 서울대학교 물리천문학부 교수가 답변한 내용을 보자. 우 교수는 유신진화론자라고 불리지만, 사실은 그냥 진화론자이다. 앞에 어떤 수식어가 붙든지 진화론은 다 같은 진화론이라는 것을 기억해야 한다.

케플러-452b가 엄청나게 멀지만 별들의 거리 단위로는 상대적으로 가까운 것이라고 하는 그에게 진행자가 질문을 했다.

"……빛의 속도로 1,400년을 달려야 되면 상당히 가늠되지 않는 거리죠. 이렇게 먼 데 있는 행성을 어떻게 발견할 수 있었던 건가요?"

"저희가 지구에서 행성을 직접 볼 수는 없습니다. 거의 어려운 일이고요. 지구가 태양 주변을 공존하듯이 작은 크기의 행성이 거대한 크기의 별 주변을 돌게 됩니다. 그러면 별 앞으로 지나가게 될 때 행성이 별을 가리는 만큼 별빛이 약간 줄어들게 되죠. 그래서 이번 경우에는 별빛이 약 1만분의 2 정도가 약간 줄었습니다.

그래서 그런 밝기 변화를 우리가 계속 관찰하면, 또 관측하면 1년이 조금 넘는 주기로 밝아졌다 어두워졌다 하는 것이 반복되는 것이죠. 그래서 그런 밝기 변화를 검출하면 행성이 존재하는구나. 그렇게 행성의 존재를 알아낼 수가 있습니다."

YTN 라디오, 최영일의 뉴스! 정면승부_2015. 07. 27

1만분의 2면 5,000분의 1이다. 빛이 그 정도 극소량 감소한 것을 가지고 제2의 지구를 유추하는 것이 NASA가 하는 일이다. 그 목적이 무엇이겠는가?

이것은 그냥 사기다. 케플러-452b는 〈어린왕자〉에 나오는 소행성 b-612와 전혀 다르지 않다. '소설'이라는 것이다. 똑같은 것인데 과학이라는 맹신을 덧입히니 사람들은 판타지를 갖게 된다. 제발 갔다 와서 이야기하라. 보지도 않았으면서, 해양과 대륙이 존재하는지 알 수 없다면서도 그림을 그리고, 그 땅에 녹색 부분을 집어넣는 이유가 있다. 생명이 탄생하고 진화해 지구처럼 생명체가 존재했을 것을 바라는 희망사항을 담아 사람들을 속이려는 것이다. 따뜻한 물이 있는 원시 대양(일명 다윈의 수프)에서 생명체가 시작되었다고 하는 것이 진화론이기 때문이다.

앞서 알아본 것처럼 인간은 아직 화성에도 갈 수 없다. 이런 뉴스가 노리는 것은 지구만이 어떤 지적 설계자에 의해 특별히 창조되었다는 사실을 사람들이 깨닫지 못하게 막으려는 것뿐이다. 어떤 경제적 이득도 공익적 가치도 없는 전파낭비, 시간낭비에 지나지 않는 일이다.

지구 2.0, 지구의 사촌, 제2의 지구는 어디에도 없다. 그런데도 이런 이야기가 영화 밖 뉴스, 진실만을 다룬다는 뉴스를 통해 유포되고 있다. 이쯤 되면 교과서진화론개정추진회도 모자라 앞으로는 뉴스까지도 감시하고 바로잡는 뉴스진화론개정추진회(?)라도 만들어야 하는 세상이 된 것 아닌가.

PART 2

| 동물과 지구 |

King Kong

킹콩 | 비정한 인간과 인간적인 고릴라의 비극

생각하는 과학칼럼 3 : 인간과 원숭이만 스스로 비타민-C 합성을 못한다고?

Planet of the Apes

혹성탈출 | 원숭이와 인간, 입장 바꿔 생각해 보기

Jurassic park

쥬라기 공원 | 공룡의 모든 역사를 다시 써라!

생각하는 과학칼럼 4 : 수 천 년 전 남성들이 선호한 여성?

킹콩
King Kong

비정한 인간과 인간적인 고릴라의 비극

제작 : 1933년
감독 : 어니스트 쇼드사크·머리안 C. 쿠퍼
주연 : 페이 레이·로버트 암스트롱

섬에서 잡혀와 인간의 탐욕에 희생된 거대 고릴라를 통한 인간성 고발작

뉴욕에 잡혀온 18미터의 고릴라

1933년 처음 제작된 〈킹콩〉은 B급 영화였지만 세계 영화사에 남아 1976년에 리메이크된 것을 포함해 숱한 화제를 뿌리며 큰 영향을 끼친 괴수 영화의 원조 격인 작품이다. 2003년에는 〈반지의 제왕(2001)〉으로 유명한 뉴질랜드의 영화감독 피터 잭슨이 아홉 살 때 보고 큰 영향을 받은 이 영화를 헌정하는 마음으로 리메이크하기도 했다.

그래서 지구촌의 거의 모든 연령대는 자기 세대의 킹콩을 기억하며 향수를 지니고 있다. 심지어 국내에서도 오래전에 〈킹콩의 대역습(1976)〉이라는 입체영화가 개봉된 바 있고, 희대의 워스트 무비로 〈킹콩〉을 리메이크한 〈퀸콩(Queen Kong, 1976)〉이라는, 웃지못할 암컷 고릴라 버전도 있었다.

원작에서 극중의 영화 제작자 칼 덴햄은 세계 구석구석을 누비며 새로운 것들을 발견해 영화를 만드는 모험가이다. 그러던 어느 날, 탐험대와 함께 한 신비한 섬에 도착한 촬영 팀은 그 섬의 원주민들이 신으로 알고 섬기며 이따금씩 제물을 바치는 킹콩이라는 초대형 고릴라를 발견하게 된다. 키가 18미터에 달하는 킹콩을 문명사회에 전시해 돈을 벌 계획을 세운 탐험대는 섬에서 처음 본 괴생물체들, 그리고 공룡과 싸우면서 킹콩을 사로잡아 뉴욕으로 돌아온다. 그 과정에서 킹콩은 앤 대로우라는 금발의 여배우를 사랑하게 된다. 브로드웨이에서 킹콩을 전 세계에 공개하는 날, 군중과 기자들의 카메라 플래시 세례에 놀란 킹콩은 괴력으로 쇠사슬을 끊고 뛰쳐나와 사랑하는 앤을 붙잡아 엠파이어스테이트 빌딩 꼭대기로 기어오른다.

▮ 1976년 리메이크된 〈킹콩〉. 배경이 무역센터 쌍둥이 빌딩으로 바뀌었다.

이 과정에서 킹콩은 앤을 보호하려 하고, 앤은 킹콩에게 연민을 느낀다. 그러나 인간들은 그가 앤을 죽이려는 것으로 알고 그녀를 살리기 위해 비행기로 사격을 감행한다. 킹콩은 부상을 당하면서도 끝까지 앤을 지키고, 그녀를 안전한 곳에 내려놓은 후 자신은 혼자 떨어져 최후를 맞이한다. 자신과 함께 있으면 앤이 공격을 피할 수 없기 때문이었다.

■ 피터 잭슨의 〈킹콩〉. 이 영화의 리메이크는 그의 평생 꿈이었다고 한다.

사회 비판적 메시지에 숨은 이야기

이 영화의 메시지는 인간성의 고발이다. 돈을 위해 자연을 그대로 두지 못하는 물질만능의 세태와 동물을 학대하며 자신들의 욕망을 채우려는 인간들의 삐뚤어진 모습을 거대한 고릴라의 순박한 본능과 대비시키는 것이다. 인간적인 고릴라와 짐승 같은 인간의 비판적 구도이다.

그런 영화적 구성을 나무랄 이유는 없다. 다만 이런 스토리 안에 숨은 생물학적 메시지를 돌아보고자 한다. 유인원은 일반적으로 사람보다 열등한 존재지만 조금만 더 진화하면 사람이 될 수 있는, 말하자면 인간의 과거 모습 정도로 인식되는 동물이다. 그런데 킹콩이 영화에서처럼 감정을 지니고, 사랑을 알며, 사랑을 위해 이타적으로 자신을 내던질 정도의 이성적인 존재일까?

아무리 영화라 하지만 이런 일은 가능하지 않다. 다윈 시대의 진화론에서 고릴라와 침팬지 등의 유인원은 사람의 전(前) 단계라고 주장했으나, 요즘은 그것이 불가능하다는 사실이 드러나면서 이른바 '가지치기' 이론으로 진화론자들의 주장도 진화되고 있다.

그래서 요즘 진화론자들은 고릴라가 시간이 지나 사람이 됐다고 하면 (초기 진화론자들의 주장은 알지도 못하거나 눈감은 채) "진화론을 제대로 몰라 저런 주장을 한다.", "무식하다."라고 역공을 한다. 같은 진화의 공통경로에서 한 부류는 고릴라로, 한 부류는 침팬지로, 다른 부류는 사람으로 각각 분산 진화를 했다는 것이다. 그래서 그림도 여러 방향의 가지로 연결해 놓았다.

원숭이가 사람이 됐다는 이론에서 변신한 분산 진화 설명도.

그러나 진화의 나무그림(진화계통수)은 데이터에는 없는 상상의 산물이다. 수천 개를 헤아리는 나뭇가지의 분기점에 해당하는 중간 공통조상의 화석들은 지금까지 단 한 건도 발견되지 않았다. 그러한 생물은 역사상 존재한 적이 없었기 때문이다. 지구상에 존재하는 모든 생물은 서로 연결된 거대한 하나의 나무가 아니라, 과수원의 형태이다. 즉 각 종류마다 다양한 모습을 띠지만, 다른 종과 섞이지 않는, 종류대로 존재하는 모습을 보여준다. 여기서 말하는 '종류'란 생물학에서 말하는 종(species)이 아니라 과(family)에 해당하는 것으로 보면 된다.

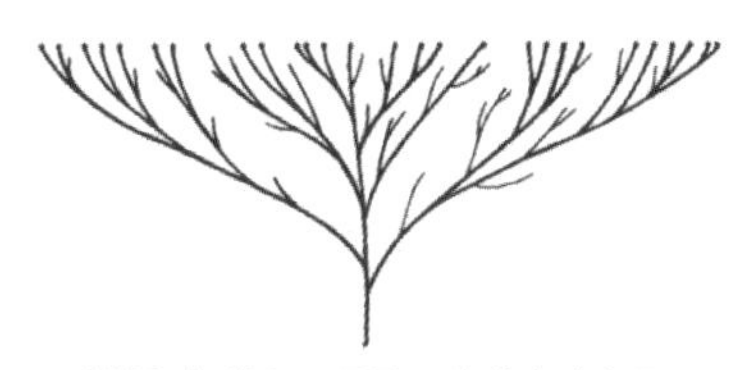

진화론의 계통도. 공통조상에서 여러 종으로 진화되는 나무 형태지만 실제로 관찰되지 않음

특별창조 모델. 여러 종이 종 안에서 다양하게 분화되는 과수원 형태로 실제 데이터와 일치함

유인원은 인간과 얼마나 유사한가?

그러면 원숭이와 사람, 유인원과 사람은 정말 생물학적으로나 유전학적으로 가까운 사이일까? 〈사람과 침팬지의 유전자가 비슷하다는 신화의 추락〉이라는 브라이언 토머스(B. Thomas)의 분석보고서를 보면, 남사의 Y염색체와 침팬지 수컷의 Y염색체는 서로 여러 면에서 매우 다르다고 한다. 그중 정자를 만드는 데 필요한 유전자들의 차이가 가장 큰 것으로 알려져 있다. 참고로, 이 책의 저자는 창조론자나 지적 설계론자가 아님을 밝힌다.

사람과 침팬지의 유전자가 98% 유사하다는 것은 진화론자들이 즐겨 사용하는 주장인데, 이는 무책임한 이야기다. 사람이 식물이나 기타 동물보다 유전자(gene)가 훨씬 많을 것으로 추정했던 사람들은 어떤 식물의 유전자는 사람보다도 그 수가 많다는 것에 착안하여, 인간은 그리 존엄하지 않은 진화의 산물로 더욱 자신 있게 주장하게 되었다. 사람은 동물보다 고등하게 보이지만, 근본에 있어서는 큰 차이가 없다는 것이다.

그러나 침팬지의 Y염색체 내의 한 염기서열은 사람의 Y염색체의 같은 부류와 10%도 같지 않았고, 어떤 부류는 전혀 상응하지 않았다. 침팬지와 사람이 하나의 공통 조상으로부터 분리됐다고 추정하는 진화론자들의 분기시점은 약 600만 년 전이다. 그렇지만 위의 결과는 (그 시간표가 사실이라 해도) 이런 짧은 기간에 이루어질 수는 없을 정도로 불일치함을 보여준다. 놀랍게도 이런 차이는 조류인 닭과 사람이 서로 다른 정도의 차이로 알려져 있다.

이런 '다름'이 가능하려면 그들의 과학으로도 닭과 사람이 분리된 3억 1천만 년의 시간이 필요하다. 이제 진화론자들은 이렇게 다른 유인원이 어떻게 그토록 빨리 사람으로 진화할 수 있었는지, 그리고 진화 이론상 원숭이와 같은 시간이 필요한 닭은 왜 인간과 매우 많이 다른지 설명해야만 하는 짐을 안게 되었다.

〈침팬지가 아니었다 : 우리를 사람으로 만든 유전자들을 발견하기 위한 추적〉이라는 책에서도 진화론자인 제레미 테일러(J. Taylor)는 사람과 침팬지 사이의 유전적 차이뿐만 아니라, 행동적, 신경적, 기타 과학적 항목들을 조사한 뒤, 침팬지가 사람과 유전적으로 98% 유사하다는 견해는 한마디로 '터무니없는 난센스'라고 결론지었다.

사람과 유전자 상으로 유사한 동물은 침팬지뿐이 아니다. 의외로 캥거루와 사람은 대부분 같은 유전자들을 공유하고 있고, 그들 중 상당수가 그 순서까지 동일하다고 한다. 그러나 아무도 사람과 캥거루의 유사성에 대해 말하지 않는다. 이는 진화의 나무 그림이나 그들의 시간표와 다르기 때문이다. 문제의 '98% 유사' 레퍼토리는 두 종 사이에 이미 알려진 유사한 DNA 염기서열을 선택적으로 골라 만든 수치이며, 유전정보가 없는 염기서열을 무시한 결과이다.

인간과 그 거리가 사뭇 먼 한낱 물고기인 제브라 피쉬도 90%가 인간과 유사해 사람의 질병 연구 등의 목적에 실험용으로 사용되며, 대체 장기 활용 목적으로 활용되어 온 돼지도 게놈 지도의 완성 결과 75%가 같아서 질병 관련 연구가 활발하다. 돼지의 심장을 활용하는 것은 이미 잘 알려진 일이다. 심지어 인간은 바나나와도 60%가 비슷하다고 할 정도로 식물들과도 유전자의 종류와 양이 유사하다. 이는 유전자가 일종의 재료이기 때문에 얼마든지 가능한 현상들일 뿐이다.

이제는 그들이 유전정보가 없다고 무시했던 그 염기서열, 즉 정크 DNA가 없이는 유전자 발현이 안 된다는 사실까지 밝혀졌다. 없는 것이 아니라 우리가 모르고 있었을 뿐이다.

인간의 신경망은 유인원의 것과 전혀 다르다

이따금 사람을 공격하기도 하는 침팬지 등 유인원의 힘은 인간보다 훨씬 강하다. 영화에서 표현되는 킹콩의 엄청난 힘도 그것이 고릴라이기 때문에 가능한 것이다. 그런데 이들에 비해 인간의 근육과 힘은 미세하게 조절되는 장치가 있다는 것이 밝혀졌다. 펜실베이니아 주립대학의 진화 생물학자인 앨런 워커(A. Walker)는 인간이 침팬지들이 할 수 없는 미세한 운동조절을 할 수 있다는 연구 결과를 내놓았다. 근육의 정교하고 민첩한 움직임이 가능하도록 인간의 신경계가 구성돼 있다는 것이다.

워커는 이 신경근육의 구조가 비록 대형 영장류가 가지는 야만적인 힘을 갖지는 못하게 하지만, 사람에게는 뇌의 억제력이 존재하며, 이것은 근육계가 손상 받는 것을 예방하는 기능을 한다고 밝혔다. 침팬지들은 그들의 척수에 사람보다 훨씬 적은 회백질을 가지고 있는데, 회백질이 많으면 많을수록 근육을 조절하는 운동 뉴런들이 더 많음을 의미한다고 한다. 사람은 그 운동 뉴런들이 전체 계획에 따라 모두 적절하게 연결되어 있다. 그런 계획성은 사람에게만 유일하게 나타난다는 것이다.

기본적으로 사람의 발가락은 모두 한 곳을 향하고 있다. 이것은 처음부터 직립보행을 할 수 있도록 설계된 것임을 보여준다. 반면에 원숭이의 엄

지발가락은 마치 손처럼 다른 방향으로 뻗어 있어서 처음부터 나무와 물건을 잡도록 만들어진 것이다. 그것이 진화되어 한 곳으로 가지런하게 모이게 된 것이 절대 아니다. 또한 유인원은 성대의 구조상 괴성 이상의 정교한 소리를 낼 수가 없게 되어 있다. 단어를 구사할 수 없다는 것이다. 많은 이들이 유인원에게 언어를 가르쳐봤지만 성공할 수 없었던 것은 이런 이유에서이다. 오직 사람만이 상대적 음의 높낮이를 조절하고, 의사전달을 하기 위해 정확하게 단어를 배열하는 지적 능력을 가지고 있다.

영국의 동물학자이자 환경운동가로서 침팬지 행동 연구 분야의 세계 최고 권위자인 제인 구달(J. Goodall)은 일생을 침팬지 연구에 바쳐왔다. 1975년에는 침팬지와 야생동물 연구를 위해 제인 구달 연구소를 설립하기도 했다. 그녀와 관련한 영화 홍보차 한국을 방문해 이화여대에서 강연을 한 적도 있고, 뜻있는 유명 인사들과도 만났다.

▮ 가장 권위있는 침팬지 연구가 제인 구달

▮ 국내에 방문했을 때 한 정기 간행물의 표지에 등장한 제인 구달, 그리고 그녀와 뜻을 같이하는 가수 이효리

그녀는 진화 인류학자인 루이스 리키(L. Leakey)의 제자인데, 루이스 리키는 다름 아닌 유인원 화석을 '스컬 1470'이라는 인류 화석으로 조작, 둔갑시킨 리처드 리키(R. Leakey)의 아버지이다. 루이스와 메리 리키 부부, 그리고 리처드 리키는 제인 구달과 연구

활동을 함께하기도 했다. 동물과 환경을 아끼고 사랑하는 마음은 높이 살 수는 있으나 그들의 행동 방식을 통해 진화라는 결론을 내려놓고 탐구해온 제인 구달이나 주변의 학자들을 높게 평가할 수만은 없다.

아무튼 제인 구달을 비롯한 여러 유인원 연구가들은 그들에게서 많은 행동 유형을 발견했지만 언어를 구사하게 만들 수는 없었다. 선천적으로 불가능한 영역은 도전하고 길을 모색한다고 되는 것이 아니다.

어떤 동물 다큐에서 침팬지 관찰자가 한 침팬지가 물에 들어가기 전에 막대기로 깊이를 가늠하는 것을 보고서 신대륙이라도 발견한 듯 호들갑을 떠는 모습을 보았다. 침팬지는 이미 동물원에서 훈련에 의해 많은 도구로 쇼를 해왔다. 그리고 물개와 돌고래, 코끼리 등 인간과 호흡하며 다양한 쇼를 하고 갖가지 도구를 활용하는 동물들의 행위는 어떠한가? 단지 훈련을 받지 않은 상태에서 물 깊이를 잰 것이 그리 대단한 행위인가? 훈련은 경험이다. 물에 빠진 경험을 통해 깊이를 가늠하는 것은 동물의 기본 감각이며, 그 정도의 융통성은 훈련받지 않더라도 얼마든지 해낼 수 있을 것이다.

그런 행위보다는 몸을 물에 적신 다음 불에 뛰어들어 주인을 살리는 개의 정신세계가 훨씬 더 놀랄 일일 것이다. 인간의 거의 모든 일상 언어를 알아듣고 반응하는 반려동물들을 보면 그 한계가 궁금하기도 하다.

인간이 밝혀내지 못한 동식물의 능력은 아직도 무궁무진하다. 어쨌든 지금은 진화론의 신화가 여지없이 무너질 정도로 과학이 발달했다. 인정할 것은 인정할 줄 아는 과학자들의 양심이 필요한 시기이다. 영화 속에 나오는 킹콩은 감정과 사랑과 희생을 아는 캐릭터였다. 그러나 인간은 탐욕에 눈이 어두워 양심을 무디게 만드는 존재이다. 이토록 많은 증거들이 있음에도 불구하고 아직도 진화론을 과학이라고 부르며, 원숭이로부터 직립보행을 하는 인간에 이르는 과정을 나열한 상상도를 죽음과도 맞바꿀 정도로 품고 있는 자들은 도대체 누구인가?

부디 인간과 짐승을 동일시하는 일을 멈춰야 한다. 과학은 그 자체가 목적이 되어서는 안 된다. 그것은 진실을 알아내는 도구와 수단일 뿐이다. 관찰과 실험으로 확인된 결과는 그대로 발표하고, 함께 수용하면 그만이다. 그러나 진화론은 귀를 막고서 아무 것도 듣지 않는 먹통으로 변해버린 지 오래다. 그것은 우리 시대의 킹콩이 되었다. 진화의 신화를 먹고 살면서 모든 가치와 진실까지 삼켜버리는 보이지 않는 괴물인 것이다.

사람과 원숭이만 스스로 비타민 C 합성을 못한다고?

"왜, 인간과 원숭이는 스스로 비타민 C 합성을 못하는 걸까요?"

한때 TV와 라디오에 등장했던 인기 걸그룹의 비타민 C 드링크 광고 문구이다.

물론 이 말이 아주 틀린 것은 아니다. 하지만 이 말을 들을 때마다 심기가 불편한 것은, 일단 '인간과 원숭이만'이라는 의미로 들리기 때문이다. 또한 사람과 원숭이가 같은 영장류이고 공통 조상에서 갈라져 나왔기 때문에 이런 흡사한 특성을 지녔다는 의미로도 들린다. 이런 광고문을 통해서도 진화론이 확산되고 생물의 진화설이 기정사실로 받아들여질까 걱정이 된다.

인간이 원숭이에서 온 것이 아님을 알지만, 이런 내용이 사람들에게, 그것도 거대한 전파 매체를 통해 전달이 된다면 그 파급효과는 적지 않을 것이다. 다음의 내용은 진화 생물학을 포함한 일반 과학계의 발견이며, 일반 학술지에 소개된 내용들이다.

우선 잘 알려져 있듯이, 비타민 C를 먹지 못하면 괴혈병에 걸리며, 심하면 죽을 수도 있다. 오랜 항해 중 별다른 이유가 없이 죽어가던 해군 병사들

▮ 인기 걸 그룹 소녀시대가 출연한 비타민 C 드링크 광고 장면

이 난파된 섬의 원주민들이 준 오렌지를 먹고 회생한 사건으로 비타민 C의 효능이 발견되었다고 한다. 사람은 이것을 합성하지 못하므로, 음식으로 섭취해야만 한다.

비타민 C의 효력은 여전히 찬반 의견이 분분하지만, 다양한 측면에서 매우 중요한 기능성 물질임은 분명하다. 가장 잘 알려진 효능으로는 감기 예방과 피로 회복이다. 인간은 꾸준히 야채와 과일 등의 음식을 통해 비타민 C를 섭취한다. 비타민 C는 빛에 의해 거의 파괴되므로, 과일 주스를 살 때는 유리병보다 종이팩처럼 빛이 차단된 포장제품을 구입하는 것이 좋다고 한다.

그런데 사람과 원숭이만 스스로 비타민 C 합성을 하지 못하다는 것은 정확한 말이 아니다. 지금까지 밝혀진 바에 의하면, 사람, 유인원(꼬리없는 원숭이), 원숭이 외에도 과일박쥐, 송어, 연어, 그리고 일부 새들이 비타민 C를 자체적으로 만들어내지 못한다고 한다.

사람이 비타민 C를 만들지 못하는 원인에 대해서는 두 가지 주장이 있다.

첫째는 사람은 처음부터 각종 과일과 채소를 먹도록 만들어졌다는 사실이다. 비타민 C를 합성하지 못하는 동물 중에서 꿀이나 꽃가루, 과일을 먹이로 하는 과일박쥐가 있다는 것은 그들이 평생 과일을 먹도록 설계되었기 때문이라 할 수 있다. 같은 이유로, 사람도 원래는 육식을 하지 않았다는 학설에 신빙성이 있다.

둘째는 사람이 원래 비타민 C를 합성했으나 어느 시점부터 그 기능을 잃었다는 것이다. 1994년, 일단의 일본 학자들이 인간 내에서 비타민 C 합성의 마지막 단계를 촉진하는 효소의 유전암호를 지정하는 DNA의 염기서열이 비타민 C를 합성하는 쥐의 그것과 매우 유사하다는 사실을 확인했다. 인간도 원래 합성 기능이 있었는데, 어느 시점에 유실된 것이라는 주장이 가능한 대목이다.

그러나 이런 연구도 과거에 비타민 C의 합성 기능이 존재했다고 단정할 근거는 아니라고 한다. 이것을 기능적 결합으로 본다면 인체 내에서 쓸모없이 허비되는 대사성 중간물질이 없는 이유를 설명할 수 없듯이, 인간은 구조적으로 비타민 C의 합성이 필요하지 않도록 처음부터 설계된 것처럼 보인다는 것이다. 그러니까 지금의 인체도 모두 필요조건들로 채워져 있는 것이지, 시대와 환경에 따라 어떤 기능들이 자연 선택적으로 퇴화하거나 진화하는 것은 아니라는 이야기다.

여기에서 제기되는 질문은 사람이 어떻게 식물이 이미 자라는 곳에서 처음부터 살게 되었나, 아니면 왜, 그리고 어떻게 유전자를 상실하게 되었나 하는 것이다. 전자는 특별창조를, 후자는 대홍수 같은 대격변을 떠올리게 한다. 아무튼 인간은 음식물에서 필요한 비타민 C를 얻을 수 있기 때문에, 비타민 C를 만드는 효소계를 가질 필요가 없었던 것으로 보인다.

앞으로 다양한 동물에 대해 연구하면 비타민 C를 합성하지 못하는 동물이 더 나올 것이다. 그러므로 인간과 원숭이를 굳이 한 그룹으로 엮을 필요가 없다.

사람이 체내에서 비타민 C를 저장할 수 있는 시간은 약 30일이라고 한다. 생사를 가르는 극한의 굶주림도 이 기간과 비슷하다. 그러므로 사람이 주식인 식물과 열매를 먹으면 누구나 비타민 C로 인해 죽을 이유는 없을 것이다.

세상에서 툭 던져지는 말들이나 광고 문구 및 다큐멘터리의 내레이션 등에는 과학적 편견이 담긴 단정적인 표현들이 많다. 이런 것들을 들을 때 무작정 수용하지 말고, 논리와 상식 선에서 잘 판단하고 이해하는 자세가 필요하다. 왜냐하면 점점 증거를 잃어가는 진화론자들이 아주 작은 단서만 나와도 크게 부풀려 홍보에 나서기 때문이다. 그러나 있는 그대로만 관찰해도 이런 것들은 얼마든지 반박이 가능하므로, 경계하고 방어하면서 지식을 세워나가는 일이 중요하다.

혹성탈출

Planet of the Apes

원숭이와 인간,
입장 바꿔 생각해 보기

제작 : 1968년
감독 : 프랭클린 J. 섀프너
주연 : 찰톤 헤스톤·로디 맥도웰

지구와 역방향으로 진화된 미래의 행성에 도착한 우주 비행사의 이야기

지구와 반대로 진화한 미래의 행성

피에르 불(P. Boulez)의 소설 〈원숭이 행성(Planet of the apes)〉을 원작으로 한 〈혹성*탈출〉은 세계적으로 큰 반향을 일으켰다. 제법 탄탄한 시나리오에 민감한 이슈를 주제로 했으며 충격적인 주제와 결말의 반전이 흥행에 한몫을 했다. 지금 보면 어설프지만 당시로는 분장술에 획기적인 발전을 가져왔다는 평가를 받기도 했다.

이 영화는 우주비행사인 조지 테일러가 우주에서의 임무를 마치고 귀환

*. '혹성'은 일본식 표현이며 '행성'으로 표기하는 것이 맞지만, 영화 제목은 그대로 사용함.

하는 과정에서 불시착한 행성이 배경이다. 1972년에 전쟁과 혼돈의 지구를 미련 없이 버리고 우주를 탐사하기 위해 떠난 지 6개월이 지난 조지 일행. 지구로 치면 700년이 흐른 2673년 3월에 이름 모를 한 행성에 도달한다. 착륙 도중 여성 대원 한 사람은 수면 캡슐에 공기가 새는 바람에 급격히 노화되면서 죽고, 남은 대원 셋만 행성에 내리게 된다. 그곳은 지구와 닮았고 마치 그랜드캐니언을 연상케 하는 곳이다. 320광년 떨어진 오리온좌의 한 행성으로 알고 도착한 그곳은 지구 시간으로는 서기 3978년이며 그들이 떠나온 지구 시간으로 2천 년이 지난 시대였다.

우주선이 물에 가라앉는 바람에 겨우 며칠분의 식량과 토양 검사 기구만을 챙겨 나온 그들은 주변을 둘러보고 그곳이 알 수 없는 행성이라고 결론을 내린다. 문명의 흔적도 전혀 없었다. 한참 헤매던 그들은 식물 한 포기를 찾으면서 생명에 대한 기대에 넘친다.

이후 더위에 지쳤다가 폭포 밑 계곡을 발견하고 수영을 했는데, 일행의 옷을 누군가가 훔쳐 간다. 그들의 정체는 벙어리 원시인 같은 미개한 인간 무리였다. 그들 뒤로 말을 타고 총을 쏘는 자들이 등장하는데, 그들은 놀랍게도 말을 하고 두 발로 걷기도 하는 원숭이 무리였다. 그들은 인간들을 잡아다 때리며 조사를 하기도 하는데, 대원 중 한 사람은 원시인 무리 중 하나로 오해를 받아 죽임을 당한다.

원숭이들은 영어로 말을 하고 사진도 찍는다. 조지는 이 행성에서의 진화는 지구와 다른 방향으로 전개되었다는 판단을 내리게 된다. 그들은 행색이 이상하고 무언가 알고 있는 듯한 조지 테일러를 잡아다 감금한다. 그

때 원시인 무리 중에서 테일러에게 호의적인 한 여성도 함께 갇힌다. 나중에 그녀는 테일러의 파트너가 된다. 그리고 하나 남은 동료 대원은 뇌를 절제하고 수술을 당해 말을 못하게 된다.

미개한 인간, 지적인 원숭이

조지는 신분을 숨기기 위해 입을 열지 않고 그들의 강압적 조사를 받던 중 자기가 갇힌 우리의 흙바닥에 글자를 썼지만, 진실을 은폐하려는 과학자들은 슬며시 그것을 지워버린다. 한편 연구원인 여자 원숭이 지라 박사와 그녀의 약혼자이자 고고학자인 코넬리우스 박사는 테일러가 여느 인간들과는 다르다는 것을 눈치 채게 되고, 특히 지라 박사는 그를 호의적으로 대하게 된다. 그곳에서 인간은 해로움만 끼치는 존재로 아무리 가르쳐도 말을 하지 못하고 난폭하며 농작물을 훼손하는 불필요한 존재로 묘사되고 있다. 과학 장관인 자이우스 박사는 인간을 몰살시키는 것이 좋다고 동료들에게 말할 정도로 완고한 원숭이들의 원로이다.

테일러는 얼마 후 지라 박사에게 '테일러'라는 쪽지를 써서 자기 이름을 알린다. 그리고 기회를 잡아 자신들이 황무지에 우주선을 타고 불시착했다고 알려준다. 이에 코넬리우스는 그 지역에서 인간의 문명이 존재했다는 증거를 가지고 있었으므로 크게 흥분한다. 테일러의 존재 자체가 그 문명의 존재를 확인시킬 증거가 되기 때문이다.

그러나 자이우스 박사 무리는 테일러의 존재를 알고도 일이 복잡해지는 것을 원치 않았으므로 지금까지 알려진 대로 인간은 그저 미개한 존재일 뿐임을 확증시키기 위해 테일러를 죽이기 위한 청문회를 연다.

이 청문회 식 재판에서 자이우스 무리는 테일러를 변호하는 지라 박사 커플이 계속 테일러를 감싼다면 과학적 이단 죄로 그들을 넘기겠다고 엄포를 놓는다. 어떤 주장을 해도 그들의 경전에 나오는 법을 바꿀 수 없으며, 어떤 증거도 그것을 뛰어 넘을 수 없기 때문에 인간이 과거에 말을 하고 원숭이보다 앞선 문명을 지녔다는 이야기는 묵살된다.

결국 테일러는 자기와 함께한 인간 여성 노바와 그곳을 탈출하는데, 지라와 코넬리우스는 그들을 돕는다. 테일러는 인간 문명이 있는 유적지로 향하고 그 고대의 문명에서 말하는 인형을 발견한다. 모두가 충격을 받지만 자이우스는 인정하지 않는다. 모든 사실을 처음부터 알고 있었던 그는, 테일러에게 인질로 잡힌 후에도 주장을 철회하지 않고, 만일 인간이 정말로 우수했다면 왜 도태되었는가 하는 질문을 던진다.

자이우스를 제압한 끝에 조지 테일러는 드디어 자유를 찾게 되어 노바와 함께 황폐한 해안가로 말을 타고 간다. 그때 폐허가 된 문명의 흔적이 나타난다. 카메라가 따라가는 큰 구조물은 삐죽삐죽한 뿔들로 이루어져 있는데, 바로 자유의 여신상 머리 부분이다. 모래에 묻힌 자유의 여신상을 확인한 조지는 비로소 자기가 도착한 이 행성이 미래의 지구였음을 깨닫는다. 그는

▌마지막 장면에서 행성의 정체를 알고 오열하는 테일러

분노에 차서 소리친다.

"맙소사, 돌아왔어…. 내 고향이야. 여긴 지구였어…."

떠나왔지만 더 나은 인류가 되길 바랐건만 모든 것을 망쳐버렸음을 확인한 조지는 그 해안가에서 절규하며 오열한다.

"전쟁을 일으켰군. 미치광이들! 지구를 날렸어!! 모두 지옥으로 사라져버려…!!"

역지사지로 창조론을 비틀다

〈혹성탈출〉. 그 제목만으로도 너무나 유명한 영화이다. 〈벤허(1959)〉와 〈십계(1956)〉의 주인공으로 잘 알려진 찰톤 헤스톤이 조지 테일러로 열연한 이 영화는 충격적인 주제와 결말로 잘 알려져 있다. 2001년에는 내용은 똑같지 않지만 같은 제목의 리메이크 영화가 탄생했고, 그 후속작 시리즈인 〈혹성탈출 : 진화의 시작(2011)〉과 〈혹성탈출 : 반격의 서막(2014)〉도 만들어졌으며 후속타도 있다.

우주선을 타고 20세기의 지구를 떠난 테일러는 더 나은 행성을 꿈꾸며 도착한 곳에서 문명의 역전 현상을 목격한다. 인간이 미개하고 원숭이가 더 진화된 것이다.

먼저 이 영화에 대해 이야기하기 위해서는 몇 가지 영화 구성을 위한 전제 조건과 과학적 사실에 대한 확인이 있어야 한다.

지구에서 수백 광년 떨어진 낯선 행성에 인간이나 원숭이, 산소와 파란 하늘 등 지구와 비슷한 조건이 존재한다는 것은 과학적으로나 확률로나 어려운 일이다. 물론 그곳은 먼 행성이 아니라 지구였지만, 조지가 다른 행성에 왔다고 아무렇지 않게 생각한 것은 영화적인 전개를 위한 것으로 생각할 수 있다. 또한 그런 행성에 지구와 똑같은 인간과, 진화되어 낯설긴 하지만 원숭이와 말 등이 있다는 내용도 그렇다 치고 넘어간다. 불과 2천 년을 뛰어 넘는 것으로 설정했지만 그 기간에 진화론적 이론 안에서도 원숭이가 인간이 될 수 없다는 것은 당연하므로 이 또한 영화를 위한 설정으로 관객이 이해해주기를 바라는 것 같다.

이처럼 엄청난 진화적 변화를 말하면서도 짧은 기간을 설정한 이유는 아마도 영화의 중요한 코드가 되는 말하는 인형과 자유의 여신상 등 지구 문명의 흔적이 남아 있어야 했기 때문이 아닐까 싶다. 수만 년 등으로 설정하면 그 정도의 유물이나 유적이 남기 어렵다. 이런 것들은 이 책에서 말하고자 하는 영화의 주요 논지가 아니다. 물론 정말 진화론에 대해 지식이 없는 사람들은 그런 정도의 기간으로도 사람과 원숭이의 현재가 뒤바뀔 수 있다고 생각하거나, 우주에 지구와 같은 환경의 별이 흔하다고 여길 수도 있겠지만 영화는 영화일 뿐이니 간단히 본론으로 들어가도록 한다.

이 영화를 관통하는 가장 큰 줄기는 창조론 비틀기이다. 왜 원숭이는 인간보다 더 문명적으로 진화할 수 없느냐는 반문이며, 창조론은 종교인데 왜 과학의 영역에서 행세를 하느냐 하는 도전이다. 인간도 전쟁과 파괴로 문명이 황폐화되고 이성이 둔화되면 언어조차 잃어갈 수 있다는 것, 즉 자연선택에 의한 도태가 발생할 수 있으며 원숭이도 어떤 진보의 방향으로 나아가 인간보다 더 나은 존재로 역사에 등장할 수 있다는 의미이다.

이런 논리는 진화 이론상으로는 어느 정도 맞는 것처럼 들린다. 만일 진화론을 단편적으로 습득한 중학생 정도의 지식을 지녔거나 진화론에도 창조론에도 전혀 무지한 사람이 이런 이야기를 들으면 그럴 수도 있겠다고 생각할지 모른다. 영화란 허구에 분장임을 알면서도 현실을 펼쳐 보이는 듯한 마력을 지니고 있어서 실제로도 그와 같은 일이 가능했으리라고 믿게 만드는 힘이 있다. 사람들이 꾸며낸 이야기에 빠져드는 이유도 그런 가능성에 대한 믿음과 기대 때문이다.

그러나 기간을 아무리 늘려 잡아도 소용없다. 이 영화에서처럼 엄청난 종의 역행, 즉 대진화는 일어난 적이 없으며 증거도 단서도 없기 때문이다.

또 한 가지, 우리가 보통 원숭이가 사람보다 못 생겼다고 여기는 것은 익숙하지 않기 때문이 아니다. 배치와 구성, 조형미 면에서 원숭이는 지나치게 긴 인중과 돌출한 입, 벌어진 콧구멍, 길쭉한 귀 등등 어색하고 우스꽝스럽다. 이것은 원숭이가 보면 원숭이가 잘생겨 보이고, 사람이 보면 사람이 잘생겨 보이는 그런 상대성의 시각으로 생각하면 안 된다. 인간이 가장 편안하고 아름답게 느끼는 거리와 간격이 있으며 이것은 황금비율로 나타나는데, 이 비율이 가장 잘 들어맞는 얼굴과 인체가 가장 아름답고 안정적으로 보여 많은 사람들이 특정한 조건을 지닌 선남선녀를 선호하게 되는 것이다.

그러므로 더 진화된 고등한 존재라는 원숭이들이 수려한 외모의 영화배우들을 가두고 미개하다며 머리를 내젓는 장면들은 어색하고 우스울 수

밖에 없다. 그래서 이 영화는 어쩔 수 없이 기본적으로 뛰어넘을 수 없는 진화의 모순을 품고 시작하는 것이다.

왜 1960년대인가?

이 영화의 대사들을 주의 깊게 들어보면 창조론에 대한 공격성, 반문, 조롱이 잇따라 등장한다. 이런 배경을 알고 보면 영화가 무척 흥미롭다.

과거 인간이 더 고등했던 시대에서 온 테일러는 사람들이 말을 하지 못하는 것을 보고 놀라는데, 지배층 원숭이들이 언어를 알지 못하는 인간들에 대해 평가하는 장면에서 이런 말을 한다.

"말을 못하는 데에는 발성 기관도 관련이 있지만, 문제는 뇌에 있습니다."

창조론자들이 원숭이와 유인원이 말을 못하는 이유에 대해 설명하는 것과 일치하는 이야기이다. 완고한 원로들이 "신의 형상을 본떠 원숭이를 만들었다."는 전통에 대해 강조하면서 인간에서 원숭이로 진화한 '사실'을 부정하는 장면도 있다. 젊고 현명한 과학자들은 그의 권위에 도전하며 '경전이 기록되기 훨씬 이전에 존재한' 진화의 흔적에 대해 설명한다.

■ 신이 원숭이를 자기 형상에 따라 만들었다고 경전에 나온다면서 고집을 부리는 원로들. 기독교를 패러디해 조롱하고 있다.

그러면서도 그들은 테일러가 말을 히고 조리 있게 반박을 하자 "덜 진화된 영장류와 원숭이 사이의 잃어버린 고리일지도 몰라." 하고 생각한다. 진화론을 역으로 홍보한 것이다.

왜 이런 영화가 나왔을까? 왜 하필 1960년대 후반이었을까? 모르긴 해도 당시 크게 반향을 일으킨 창조론 도서 한 권이 촉발한 창조-진화의 해묵은 논쟁에 새로운 이슈를 던진 사건이 이런 결과로 나타나지 않았을까 생각해 본다.

▮ 〈창세기 대홍수〉 초판

1961년 걸출한 창조과학자와 구약학자의 공동 저서인 〈창세기 대홍수(Genesis flood)〉라는 책은 엄청난 충격을 몰고 왔다. 이것은 현대적 창조과학의 시초가 된 책으로, 수력학자이면서 진화론밖에 몰랐던 헨리 모리스(H. M. Morris) 박사가 과학적 양심으로 돌아서서 노아의 홍수와 기원과학에 대해 철저한 실제적 데이터로 제시하며 존 위트콤(J. Whitcomb) 박사와 함께 증명한 책이다.

이 책으로 진화론자들은 수세에 몰리게 되었고, 창조과학에 대한 더 많은 증거들이 발견되고 입증되었다. 〈혹성탈출〉은 그런 의미에서 무척 도전적으로 제작되고 도발적으로 탄생한 영화가 아닌지 예상해 볼 수 있다. 뒤집어 생각해 보면 창조론이 얼마나 폭력적이고 비과학적인지 생각해 보라는 메시지가 영화 전편에 깔려 있기 때문이다. 그런데도 영화는 창조론에서 주장하는 과학적 사실보다는 기존의 종교적 입장만을 비꼬며 대사 속에 녹여내고 있다.

진화론, 특히 원숭이에서 사람으로 나아가는 진화의 논리는 모두 학술적으로 붕괴되었고, 창조론이 없이도 얼마든지 반박이 가능하다. 아니, 반박이 아니라 스스로 인정하고 물러난 사례가 많다. 오직 그것을 잘 모르는 2선에서 더욱 해묵은 기념비적 오류를 가지고 진화를 주장하는 사례가 많다. 2선이란 대개 문화의 영역이라 할 수 있다. 그중에서도 종합예술로 불리는 영화는 가장 앞장서서 이런 진화의 무너진 이론을 홍보하고 있다.

오스트랄로피테쿠스를 비롯한 수많은 인류화석이 오늘날 과학의 영역에서 퇴출되었다. 그런데도 과학과 문화의 경계선에서 문화의 콘텐츠로 그런 퇴출물들이 여전히 자주 다루어지고 있다.

혹성탈출의 상징성과 리메이크 영화들

〈크리스마스 악몽〉을 비롯한 여러 스톱모션 애니메이션과 〈배트맨〉 1, 2편 등을 만든 팀 버튼 감독은 2001년에 마크 월버그와 헬레나 본햄 카터가 주연한 동명의 리메이크작 〈혹성탈출(2001)〉을 제작했다.

■ 혹성탈출 2001년 리메이크 작. 마치 진화의 과정처럼 얼굴들을 배열했다.

이 두 배우는 마스크부터 혹성탈출 시리즈에 잘 어울리는 기막힌 캐스팅이라 할 수 있을 텐데, 라스트 신이 원작만큼 반전이 있고, 이해하기가 어려워 해석이 분분한 영화이기도 하다. 이 영화 역시 인간성의 상실을 역지사지로 보여주는 내용이었다.

2011년에는 혹성탈출의 연작이 나오게 되는데, 이런 유의 작품치고는 대작으로 제대로 만들어져 일명 미드(미국 드라마)나 비디오급 영화가 아닌 극장 개봉작으로 인기몰이를 하고 있다. 〈혹성탈출〉 원작과 같은 역진화의 상황이 지구에서 일어난 이유와 과정을 설명하는 이 영화들은 실험실에서 인간에게 이용당하던 유인원 시저가 약물에 의해 돌연변이를 일으켜 지나치게 현명해지고 언어까지 습득하면서 인간들에 대항해 유인원의 왕국을 만들어간다는 이야기이다. 물론 그 결과는 1968년 원작처럼 인간은 퇴화하고 원숭이들이 세상을 지배하는 상태가 되는 것이다.

▮ 혹성탈출 시리즈 〈진화의 시작〉. 실험실을 탈출하는 시저 무리가 이 모든 역행의 발단이 된다.

이 영화 시리즈는 인간보다 더 인간적이고, 현명하며 평화를 사랑하는 멋진 원숭이 시저의 그래픽이 가장 큰 역할을 했다. 특히 두 번째 시리즈 〈반격의 서막〉에서 보여준 그의 표정과 감정 연기는 앤디 서키스라는 모션 캡처 전문 배우가 맡아 큰 호평을 받았다. 모션 캡처는 연기자의 몸 각 부분과 얼굴 근육에까지 자이로스코프 센서를 연결해 컴퓨터 그래픽 상의 캐릭터에 동작과 감정을 표현하는 기술이다.

앤디 서키스는 〈반지의 제왕〉에서 골룸의 양면적 캐릭터를 잘 소화한 것으로 유명한데, 〈반격의 서막〉에서 보여준 시저의 연기로 이 분야를 한 단

▌2014년에 제작된 2탄 〈반격의 서막〉. 실험실에서 학대받던 유인원들의 인간에 대한 공격이 시작된다.

계 업그레이드했다는 좋은 평가를 받기도 했다.

이 시리즈는 원작처럼 창조-진화 논쟁에 집착한 영화는 아니고, 원숭이가 인간을 지배하는 충격적 반전이 인간의 탐욕이 초래한 것임을 말하는 것에 초점이 맞춰져 있다. 한편 그런 악한 인간 중에도 평화를 사랑하며 서로 공존하려는 인간이 있고, 실험실에서 나왔어도 만족하지 못하고 과도한 욕망과 인간에 대한 미움을 드러내는 못난 원숭이들을 등장시켜 공감을 불러일으키고 있다.

그러나 역시 이런 스토리의 영화를 보는 사람들은 진화라는 것이 아주 오래전에 어떤 계기에 의해 촉발될 수도 있지 않았을까 하는 막연한 생각을 주입받을 수 있다. 무엇보다 사람이 만물의 영장으로 고등하기만 한 존재가 아니라, 때에 따라 짐승만도 못한 존재로, 그래서 결국은 같은 동물의 한 형태로 인식하게 되는 악영향을 받을 수 있다.

인간은 아무리 못나도 인간이다. 인간은 짐승보다 못한 행동을 한다 해도 짐승과는 다른 특별한 존재이다. 인간의 본성에는 악한 일을 멈추지 못하는 '죄'라는 개념이 있다. 이것을 인정하지 않고 물질의 덩어리로만 인간을 보려는 유물론적 사고로는 인간이 왜 짐승과 다르며 특별한지 깨달을 수도 인정할 수도 없다.

혹성탈출 시리즈는 원숭이와 진화라는 상징적 주제 때문에 언제나 수목을 끈다. 진화론자들은 이 영화들을 과학의 필수 감상 코스로 선정하고 싶을지 모르겠다. 그러나 이 영화는 어디까지나 SF, 공상과학이다.

진화론자들은 다윈의 신화가 현실에서 펼쳐지는 듯한 착각, 거기서 오는 희열을 느낄 수도 있을 것이다. 그러나 이 영화를 보면서 그런 희열을 느낀다면, 그런 일이 현실에서는 일어난 적도 없고, 일어날 수도 없는 상상의 영역이기 때문이 아닐까? 그런 측면에서 이 영화는 공상과학을 넘어 판타지로 분류해야 할지도 모른다. 진화론 자체가 일종의 공상과학이요, 무신론자들의 목마름을 풀어줄 판타지이기 때문이다.

쥬라기 공원

Jurassic park

공룡의 모든 역사를 다시 써라!

제작 : 1993년
감독 : 스티븐 스필버그
주연 : 샘 닐, 로라 던, 제프 골드브럼

중생대 공룡을 부활시킨 테마파크에서 일어나는 위험한 공룡들의 반란

완벽한 오락성, 부실한 과학

〈쥬라기* 공원〉은 괴수영화라고 하기는 어렵다. 그렇다고 해서 재난영화라고 할 수도 없다. 그러나 아류의 많은 영화들이 〈쥬라기 공원〉 이전과 이후로 나뉠 수 있을 정도로 이 영화는 아주 독특한 작품이다.

그렇게 말할 수 있는 이유는 과학적 요소 때문이다. 영화에 등장하는 공룡이 과거의 킹콩처럼 불가능한 존재도 아니었고, 인형을 뒤집어쓰는 어설픈 괴수, 혹은 비현실적으로 창조된 괴물도 아니었다. 철저한 과학적 모티

*. '쥬라기'의 표준어는 '쥐라기'지만 본문에서만 사용하고, 영화 제목은 그대로 둠.

프를 가지고, 그것도 현실에 없는 것이 아닌 존재, 그러면서도 인간이 그토록 만나고 싶어하지만 화석으로밖엔 만날 수 없었던 공룡을 첨단 그래픽으로 부활시킨 것이니 모든 면에서 흥행할 수밖에 없는 요소를 두루 갖춘 영화이다.

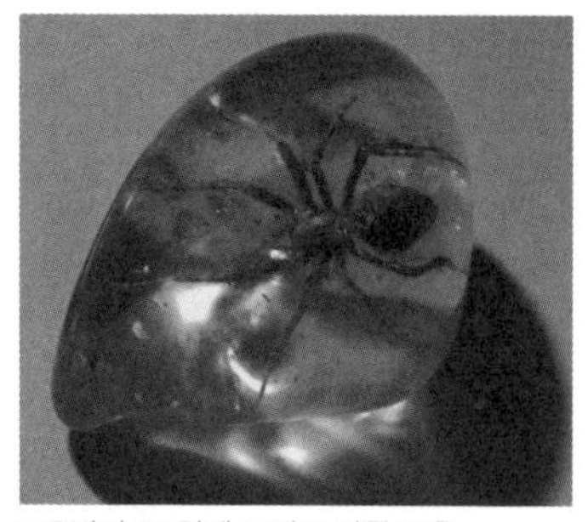

▌호박과 그 안에 그대로 갇힌 곤충

2008년에 사망하기까지 마이클 크라이튼(M. Crichton)은 유명 베스트셀러 작가였다. 그는 쥐라기 시대의 공룡을 호박(琥珀) 광산에서 깨웠다. 호박이란 한복의 장식용 단추 등 장신구로 사용되기도 하고 절연재로도 쓰이는 광물질이다. 아주 오래전, 송진과 같은 나무의 진이 땅 속에서 탄소, 수소, 산소 따위와 결합하여 굳어진 것인데, 광택이 있는 노란 빛이 나며 투명하거나 반투명하다.

이런 호박 속에서 곤충들이 종종 발견된다. 나무에 앉아 있다가 흘러내리는 진에 붙어 갇힌 채 광물질이 된 것들이다. 마이클 크라이튼의 상상은 여기서 시작된다. 공룡시대에 나무의 진이 흘러내릴 때, 공룡의 피를 빤 지 얼마 되지 않은 모기가 호박에 갇혀 거의 진공 상태가 된 채 수 천 만년을 보내다가 광산에서 발견된 것이다.

해먼드 박사는 이런 모기의 피에서 공룡의 DNA를 추출했다. 그리고 손상된 부분에 개구리의 DNA를 연결하고 유전자를 완성해 공룡을 복원한 것이다. 이렇게 탄생한 각종 공룡들은 '쥬라기 공원'이라는 고립된 섬에 조성된 테마파크에 살게 되었고, 관람객들은 관람용 차를 타고 구경을 하게 된다.

해먼드는 이곳의 홍보와 자문을 위해 공룡 화석의 권위자인 알란 그랜트 박사 부부와 수학자인 말콤 등을 초청하는데, 이들이 공룡의 부활을 보고 크게 감탄하는 것도 잠시, 공룡들의 공격성과 안전시설 파손으로 함께 와 있던 해먼드 박사의 손자와 손녀가 큰 위기에 빠지게 된다.

이 영화에서처럼 호박에서 공룡 피를 머금은 모기를 찾는다 해도 그것으로 공룡을 탄생시키는 것은 불가능하다. 물론 그러니까 영화이고 아직까지 그런 실제 사례가 없는 것이긴 하지만, 제대로 된 모기만 찾고 기술을 더하면 가능할 것처럼 생각하는 것조차 무리라는 것이다.

고대 동물의 복원은 아예 불가능하다. 우선 호박을 포함한 모든 물질은 진화론의 시간표로도 100만 년 이내에 광물화된 것이다. 호박에서 유전자를 찾는다는 것은 일부의 주장일 뿐이고, 박테리아를 되살리는 수준이다. 실상은 피의 유전자가 심하게 변형돼 있을 것이다. 모기를 둘러싼 나무의 진이 그렇게 완벽한 밀폐구조도 아니다. 유전자를 찾았다 해도 오염되기 쉬우며, 그 시대를 알아내기도 힘들다. 더욱이 영화에 나오는 도미니카 공화국의 호박은 중생대와는 아무런 연결성이 없는 훨씬 짧은 연대의 것들이라 한다.

온전하게 보존된 DNA로도 생물의 복원은 어렵다는 것이 분자생물학자들의 의견이다. 왜냐하면 그 어미의 유전자까지 알아야 단백질과 효소를 만들어낼 수 있기 때문인데, 그것까지 있을 수도 없지만, 있다고 해도 또 다른 난관에 부다칠 것이 분명하다. 생명이란 얼마나 복잡한 것인가? 따라서 영화 밖에서 중생대의 공룡을 만날 일은 없을 것이다.

쥐라기는 과연 존재했던 시간일까?

공룡은 현대인들이 200여 년 전부터 화석을 통해 알았다. 그 전까지는 공룡을 만난 사람이 없으며, 공룡은 모두 약 2억 5천만 년에서 6,600만 년 전인 중생대(백악기-트라이아스기-쥐라기)까지 살다가 멸종했을 것으로 믿는다. 물론 왜 멸종했는지도 모른다. 진화론에서는 멕시코 유카탄 반도에 떨어진 운석 때문이라고 하는데, 전혀 근거가 없을 뿐만 아니라 그럴듯하지도 않다. 왜 멕시코에 떨어진 운석 때문에 전 세계의 공룡이 다 죽었으며, 다른 동물들은 멀쩡했단 말인가?

중생대니 고생대니 하는 것도 지질학자들이 19세기에 매긴 지층의 분류도에 따른 것이고, 그들은 다른 지층의 사례가 나와도 먼저 만든 지질주상도(geologic column)를 수정하지 않았다. 그래서 그 도표의 연대서열순서(age sequence)에 따라 각 지층에서 화석이 나오면 시대를 매기고, 어딘가에서 화석이 발견되면 그것을 미리 만들어진 지질주상도에 있는 시대의 것으로 대입해 시간을 정했다. 이는 다른 증거가 반영될 수 없는 일종의 순환논리이다. 이미 그런 지층의 순서와 판이한 사례는 세계 도처에 무수히 존재한다.

▮ 스티브 오스틴 박사가 촬영한 1984년의 세인트헬레나 산. 이 장면만으로는 누가 이것을 불과 4년 만에 형성된 지형이라고 하겠는가?

지층이라는 것은 격변이 발생하면 순식간에도 생길 수 있는 것이기 때문에, 전 지구적 대격변을 인정하지 않는 점진적 진화론의 잣대로는 모두가 납득할만한 결론을 결코 도출할 수가 없을 것이다.

1980년 5월, 미국 세인트 헬렌(St. Helens) 산의 폭발은 대격변에 따른 화산활동의 결과를 잘 보여주었다. 단 몇 시간에서 며칠 새에 협곡과 다중 지층이 형성되었고, 석탄 초기과정의 토탄까지 생성됐다. 그리고 1년 후에는 그랜드캐니언과 같은 암석층까지 형성된 현실을 모두가 관찰했다.

어린이 욕조 만한 거대 공룡의 발자국

동전 크기만큼 작은 공룡의 발자국

쥐라기라는 시간과 공간은 사실 존재하지 않았다. 또한 공룡 자체가 그 시대에 멸종되었다는 것은 무지했던 시대의 유추해석에 불과하다. 공룡은 거의 멸종되었지만, 지금 살아 있을 수도 있는 동물이다. 이렇게 말하면 대개 제정신이냐고 물을 것이 뻔하지만, 사실은 사실이다. 공룡이 6,600만 년 전에 멸종한 것으로 아는 사람들은 엄청난 거짓말에 속고 있는 것이다.

파충류로 분류되는 공룡은 화석을 통해 약 1,000여 종이나 발견되었다. 〈쥬라기 공원 2 : 잃어버린 세계(1997)〉에 나오는 것처럼 닭보다도 작은 것부터 제1탄의 마무리를 장식한 티라노사우루스처럼 거대한 것에 이르기까지 다양하지만, 평균 크기는 큰 게나 양 정도이다.

가장 큰 것은 버스 14대를 붙인 정도의 거대한 것도 있다. 또한 육식공룡과 초식공룡이 있고, 물에 사는 어룡과 날아다니는 익룡들도 있다.

역사에 남은 공룡의 흔적

공룡이 인간과 함께 살았다는 증거는 엄청나게 많다. 그런데도 이러한 증거들이 파묻힌 것은 참으로 신기한 현상이다.

BC 326년 알렉산더 대왕의 한 보고서에는 "인도를 정복했을 때 군인들이 동굴에 사는 큰 용들로 인해 두려워했다."라는 기록이 있고, 〈동방견문록〉으로 유명한 탐험가 마르코 폴로는 "1271년에 중국을 방문했을 때 황제가 용들을 사육해서 자기의 수레를 끌게 한 것을 보았다."라고 기록했다. 여기 등장하는 용은 판타지물에 나오는 상상의 존재가 아니라 그냥 공룡이다.

왜냐하면 당시에는 드래곤(dragon)으로 불렀기 때문이고, 공룡의 존재를 알지 못한 근대 사람들은 1841년부터 신조어를 만들어 그것들을 공룡이라 지칭했기 때문이다. 영국의 과학자 리처드 오언(R. Owen)이 명명한 다이노소어(dinosaur)라는 용어는 dino와 saur를 합친 말로 '공포의 도마뱀'이라는 뜻이다. 드래곤(dragon)이라는 용어는 그에 앞선 1611년 킹제임스 영어성경에 등장한다. 이런 이유로 다이노소어는 드래곤과 다른 존재로 인식되기 시작했고, 점점 눈에 보이지 않게 된 공룡(드래곤)은 상상의 동물로 둔갑한 것이 분명하다. 공룡의 수가 적어진 것은 사실이기 때문이다.

▮ 스테고사우루스를 닮은 캄보디아 타 프롬 사원의 돌문 조각

17세기의 삽화에도 공룡처럼 생긴 것들이 등장하는데, 화석도 보고되지 않은 시기에 이들이 그린 것은 무엇이었을까? 미국 서부 아나사지 인디언들은 신대륙 발견 전부터 브론토사우루스와 비슷한 동물을 바위에 새겨놓았다. 13세기경에 건축된 캄보디아 크메르 문명의 타 프롬 불교사원에는 스테고사우루스와 비슷한 동물이 다른 동물들과 함께 선명하게 새겨져 있다. 나일강 유역에서 발견된 2세기경의 모자이크에도 공룡과 같은 것이 있는데, 명칭을 몰라 악어표범(krokodilopardaris)이라고 불렀다.

1945년, 멕시코 아캄바로 지역의 엘 토로 산에서 수천 개의 흙으로 구운 점토상들이 발견되었다. 이 점토상들 중 공룡의 모습은 수백 개였고, 인근 지역에서 출토된 것들까지 합치면 3만 3천 개 정도였다. 이것을 만든 사람들은 BC 800년에서 AD 200년 사이에 살았던 고대 추피쿠아로 문명인들이다. 이때는 전혀 공룡을 볼 수 없었던 시기가 아닌가?

▮ 멕시코 아캄바로 지역에서 출토된 점토상들

▮ 사람이 공룡과 씨름하고 있다.

이것을 발견한 독일의 고고학자 줄스루드는 이 공룡 점토상들의 정

확한 묘사에 놀랐으며, 사람들은 그가 조작한 것이라고 공격했다. 그러나 그가 독일에서 이주하기 전에 지어진 경찰서장의 집 땅 밑에서 또 다른 점토상들이 출토되어 조작이 아닌 것으로 판명되었다.

이곳의 공룡 점토상들은 그동안 화석을 바탕으로 그린 그림들보다 더 정확했고, 사람과 함께 있거나 싸우는 모습 등이 묘사되어 인간과 공룡이 공존했음을 보여주는 증거가 된다.

약 1,700년 전의 한 중국 고전을 보면, 부챗살 같은 '용의 등뼈'를 약재로 팔았다는 기록이 있다. 12간지의 12가지 띠를 보면 모든 동물이 다 실제로 존재하는 것들인데, 하나만이 '용'이다. 왜 용만 실제로는 없는 상상의 동물일까? 그것은 원래 공룡인데 점차 사라지고 보이지 않자 상상의 동물로 인식된 것이다. 여의주를 물고 승천하는 용 같은 것은 없다. 12간지에 나오는 용은 한 때 존재했던 공룡이다.

이밖에도 역사적 증거들은 매우 많지만 이 정도만 살펴보아도 충분할 것이다.

공룡을 발견한 실제적 증거

공룡은 20세기에도 발견되었다. 1930년대 영국 네스 호의 네시 같은 것 때문에 세계가 떠들썩했지만 조작설도 있고, 흐릿한 사진 하나로 그 실체를 유추하기가 어렵다. 언론이라는 것은 누군가 의도한 대로 흘러가는 속성이 있다. 근거 없는 괴수는 잔뜩 부풀려 이도저도 아닌 이야기로 흐려진 반면에, 실존했던 명백한 공룡은 잘 보도되지 않는다. 과연 누가 언론에

손을 대는 것일까?

다음 두 사진은 공룡으로 추정되는 유력한 증거이다.

하나는 1925년에 미국 캘리포니아 해안에서 발견된 것으로 이미 죽은 상태지만 공룡과 흡사한 모양이었다. 그런데도 해프닝으로 끝난 네시보다도 덜 알려져, 먼저 발견되었는데도 '캘리포니아 네시'라고 불렸다.

또 하나는 일본 원양어선이 뉴질랜드 근해에서 잡은 괴물로 이 역시 공룡과 비슷하다. 1977년의 일이다. 죽은 지 열흘 정도 된 것으로 추정되는 이 괴물은 길이 10m에 16톤 정도의 무게였다고 한다. 이 사건이 너무 신기해서 일본은 우표까지 제작했었다.

캘리포니아에서 발견된 괴물(1925)

일본 원양어선이 잡은 괴물(1977)

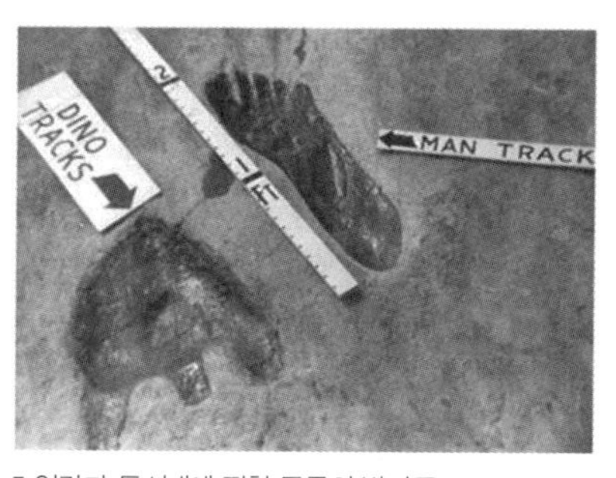

인간과 동시대에 찍힌 공룡의 발자국

공룡의 발자국은 사람과 함께 찍힌 것들이 많다. 동시대가 아니면 굳어진 바위에 인간이 발자국을 낼 수 없는 것 아닌가? 이런 것이 발견되면 진화론자들은 과학을 다시 쓰면 되는데 엉뚱한 변명과 궤변을 늘어놓는다.

일각에서는 그것이 외계인의 발자국이라고 추정하기도 한다. 왜 그들은 자신들이 지정한 지구의 연대 문제를 과학으로 다루지 않고 신앙처럼 믿고 있는지 반문하지 않을 수 없다.

공룡 발자국과 함께 찍힌 인간의 발자국은 전 세계적으로 무수히 많다. 다만 홍보되지 않을 뿐이다.

공룡에 관한 모든 역사를 다시 써라!

이래도 못 믿겠다면 이제는 움직일 수 없는 과학의 증거들을 볼 수밖에 없다.

▮ CBS뉴스 방송에서 다룬 공룡의 연부조직에 관한 추척 프로그램

첫 사례는 아니지만 2000년에 동부 몬태나 주에서 발견된 공룡의 연부조직(soft tissue)이 이목을 끌었다. 이는 아직 피부 조직이 그대로 남아 있어서 잡아당기면 되돌아갈 정도의 탄력을 지닌, 최근의 흔적이라는 것이다. 게다가 적혈구와 DNA까지 발견되었다. 이 믿을 수 없는 일에 대해 미국의 '추적 60분'인 '60minutes'에서는 대대적으로 실험을 하며 방송을 했다(2010). 지금도 유-튜브에 가면 누구나 볼 수 있는 영상물이다.

이 티라노사우루스 렉스는 최초 발견자인 고생물학자의 이름 밥(Bob Harmon)을 따서 'B-렉스'라고 불렀다. 유전자가 광물질화 되지 않고 남아 있는 것은 최장 100만년 이내의 것이라고 했던 과학자들은 이제 꿀 먹

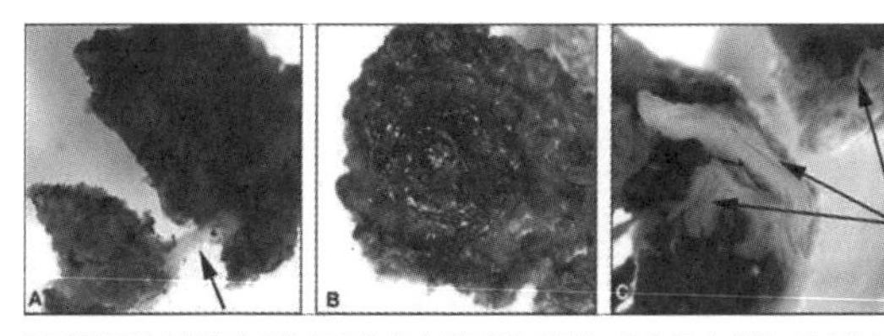

▮ 적혈구와 단백질, 연부조직까지 발견된 티라노사우루스 렉스의 일부

은 벙어리가 될 수밖에 없는 상황이 되었다. 어떤 과학자들은 공룡의 연대를 수정할 생각은 아예 하지 않고, DNA가 100만 년 이상 보존되었다는 것이 놀라운 일이라고 말하기까지 했다. 이쯤 되면 눈앞에 공룡이 나타나도 "공룡이 6,600만 년이나 살 수 있다니!"라고 할 사람들 아닌가.

그런데 미안하지만 이런 사례는 한두 가지가 아니다. 이제는 심지어 박물관에 전시돼 있던 7,500만년 전의 화석에서조차 DNA와 적혈구가 나오고 있다. 이에 짧은 연대를 지지하는 학자들은 모든 박물관을 다시 조사해야 한다고 주장하기에 이르렀다고 한다. 그야말로 '박물관이 살아 있다!'고 해야 할 판이다.

이와 같은 연부조직의 발견 사례는 1977년을 시작으로 2010년까지 40건이 넘는다. 아직까지 청록색을 띤 공룡 알도 발견된다. 이는 6,000만 년까지 보존될 수 없는 복잡한 유기분자가 남아 있음을 뜻하는 증거이다.

대체 얼마나 더 사람들에게 진실을 공개하지 않으려는 속셈일까? 심지어 진화론으로 물든 과학계의 기득권자들은 연부조직을 발견하고 짧은 연대를 지지하는 과학자를, 자신들과 종교적 관점이 맞지 않는 연구논문을 발표했다는 이유로 대학과 연구소에서 해고하기도 한다.

얼마 전 놀랍고 황당한 뉴스도 있었다. 중국 사람들이 땅에서 나온 뼈들로 설렁탕을 끓여 먹었는데, 그것이 공룡의 뼈로 밝혀진 것이다. 이것이 왜 놀라운가 하면, 국물이 우러날 정도로 아직 멀쩡한 뼈였다는 사실이다. 화석은 말 그대로 석화된 광물이기 때문에 국물이 나올 리가 없지 않은가.

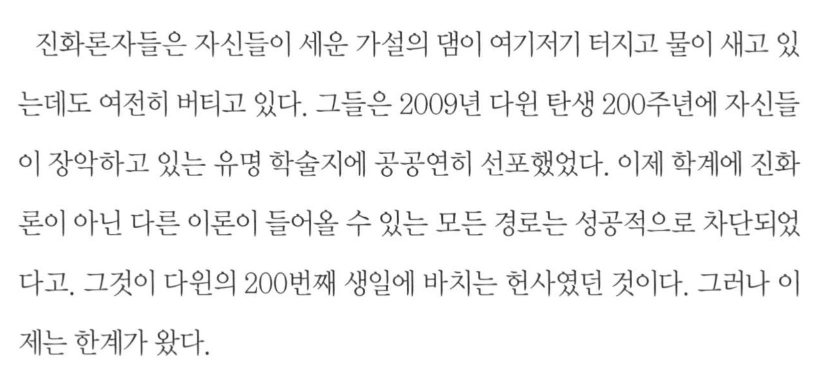

▮ 〈쥬라기 공원〉의 4탄 〈쥬라기 월드〉

'공룡이 지구를 지배했던 때'는 없다

〈쥬라기 공원〉은 2015년의 〈쥬라기 월드〉까지 네 편이 나왔다. 사람들은 여전히 공룡의 부활을 꿈꾸며 이 고대 동물을 향한 막연한 동경을 아끼지 않는다. 그러나 '쥐라기'라는 제목부터 수정되어야 할 것이다. 지구와 공룡은 그렇게 오래된 것이 아님을 모든 증거가 지지하고 있다.

진화론자들은 자신들이 세운 가설의 댐이 여기저기 터지고 물이 새고 있는데도 여전히 버티고 있다. 그들은 2009년 다윈 탄생 200주년에 자신들이 장악하고 있는 유명 학술지에 공공연히 선포했었다. 이제 학계에 진화론이 아닌 다른 이론이 들어올 수 있는 모든 경로는 성공적으로 차단되었다고. 그것이 다윈의 200번째 생일에 바치는 헌사였던 것이다. 그러나 이제는 한계가 왔다.

물론 아직까지 굳어진 사람들의 머리를 깨우기는 쉽지 않다. 사람의 선입견이야말로 어떤 화석보다도 단단한 것이 아니던가? 그래서 한 과학자는 모든 화석들은 진화론자들의 생각대로 계속 노래를 불러 줄 것이라고 비꼬았다. 부지런히 알리고, 반박하고, 무책임한 보도와 집필에는 마땅한 책임을 물어야 할 것이다.

2012년에는 경남 고성에서 연례 행사로 공룡 축제가 열렸다. 이곳에 100만이 훨씬 넘는 사람들이 다녀가면서 진화론을 배웠다. 왜 그들은 최신 학계의 뉴스나 새로운 내용을 배우지 못하는 것일까? 그것은 진화론자들이 반진화론적인 자료들을 모두 차단하기 때문이다. 실제로 2000년 초에 젊은 지구를 지향하는 과학자들이 고성 축제 참여를 추진했으나 공룡을 오래되었다고 하지 않으면 관람객들이 줄어든다는 이유로 거절당했던 사례도 있다. 전국적으로 구석기 축제 등 진화론을 강제 주입하면서 체험학습을 하는 곳이 많다. 그들은 그것이 과학이 아님을 알아야 한다. 누군가가 원하는 지식만을 유통시키는 일에서 과학을 건져내야만 한다.

〈쥬라기 공원〉 후반부의 절정에 해당하는 장면은 유명하다. 아이들을 위협하던 사나운 육식공룡 벨로시랩터를 순식간에 낚아채는 티라노사우루스의 위로 '공룡이 지구를 지배했을 때'라는 현수막이 떨어지면서 상징적인 장면이 연출된다.

▌1탄의 클라이맥스 장면, 벨로시랩터를 죽인 뒤 포효하는 티라노사우루스

그러나 공룡만이 지구를 호령하던 시대는 없었다. 과학은 그런 시대를 지지하지 않으며, 증거도 없는 상상이다. 게다가 이 두 놈다 쥐라기도 아닌 백악기 공룡이란다.

공룡은 놀라운 동물이지만 인간과 함께했고, 지구를 지배하는 인간을 두려워했던 존재일 뿐이다. 그들은 전쟁에 이용되고, 약재로 팔리고, 용맹을 과시하기 위한 사냥에 희생되었을 것이다. 또한 과거의 대격변 이후에 빙하기가 닥쳐 개체수의 큰 변화를 초래했을 것이다. 격변 때 땅속에 묻혀 뒤늦게 발견되는 수많은 종류의 공룡화석들이 그 증거이다.

〈쥬라기 공원〉을 보면 땅에는 푸른 풀이 무성하고 거대한 나무들이 여기저기 서 있는 것을 볼 수 있다. 이 테마파크는 현대의 것이니까 풀이 등장하지만, 진화론의 연대로 땅의 풀은 공룡이 멸종하고 나서 약 1,000만 년 뒤에나 진화하기 시작한 것이다. 그런데 풀잎 성분이 포함된 공룡 똥 화석이 발견되었다는 소식이 〈사이언스(2005)〉에 발표됐다. 이 역시 창조론의 순서를 지지하는 것으로 공룡 똥에서 먹이인 풀이 발견되는 것은 당연한 것이다. 자연은 거짓말을 하지 않는다. 과학은 있는 그대로를 가지고 연구하는 학문이다.

〈쥬라기 공원〉에는 쥐라기가 없고, 공룡 박람회에는 공룡이 없는 요즘이다. 이제 진화론자들이 장악한 박물관과 교과서의 공룡은 잊어버리자. 그리고 그들이 언제까지 이 영화보다 더 영화같은 허구를 붙잡고 거짓말의 과학으로 사람들을 속이는지 다함께 지켜보며 대응책을 세울 때이다.

| 생각하는 과학칼럼 3 |

수 천 년 전 남성들이 선호한 여성?

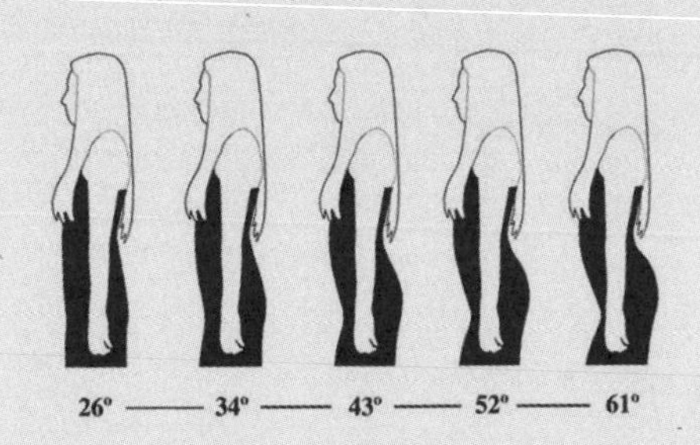

(남성이 볼 때) 어떤 힙 라인이 가장 매력적일까요?

어느 과학매체가 만든 동영상을 캡처한 것이 SNS에 돌고 있다. 정답은 43도라고 한다. 그런데 그 근거와 분석이 이렇다.

여성의 힙 라인이 45도에 가까우면 임신과 출산의 어려움이 적고, 임신한 상태로도 비교적 움직임이 편합니다. 그래서 먼 옛날부터 채집 등 활동에 유리했습니다. 남성들은 수 천 년 전부터 이런 여성을 선호해왔고, 현대에도 그 습성이 남아 이런 결과가 나타나게 된 것입니다.

대체 언제까지 이런 엉터리를 과학으로 유포하고, 배우고 가르치고, 속고 속일 것인가? 다윈의 생각 말고, 진화론자들의 생각도 정말 이런 것인지 묻고 싶다.

다른 가능성은 묻지도 따지지도 않고 모든 것을 진화의 틀에 욱여넣어, 다윈도 말하지 않은 것들까지 요즘은 모두 진화로 풀고 있다. 심리학, 정신분석학, 사회학, 사학, 인류학, 그리고 정치와 경제까지도 진화론으로 해석한다. 이것이 과학이라고 하니까 왠지 신빙성이 생기고, 또 무엇이든 조금씩 변화하는 법이니까 대충 말이 되는 것처럼 보이게 만들기가 쉽기 때문인 것 같다. 그러나 이런 태도는 다른 학설에 극심한 알레르기가 있음을 드러내는 편협적인 집착이다.

어떤 것이 안정적이고 아름답다고 느껴지는 것이 수천, 수만 년 전 조상이 그렇게 느꼈기 때문에 그것이 학습돼서, 뼈에 사무쳐서 지금도 그렇게 느낀다고 정말 생각하는가? 그럼 우리에게는 인간의 습성만이 아닌 동물과 식물, 아메바의 습성과 무생물의 습성, 심지어 우주의 빅뱅 시절 먼지의 습성까지 남아 있다는 말인가?

다산이 미덕이던 시절을 지나온 남성들이 왜 빼빼 마른 여성을 선호하기도 하고, 쌍꺼풀 없고 밋밋한 여성만을 보며 수천 년을 살아온 남성들이 왜 자기네 조상은 본 적도 없는 금발의 미녀를 동경하는지 진화론이 답을 해줄 수 있을까?

또한 채집과 수렵에 능한 건장한 남성들이 지금도 여성들의 눈에 항상 선호도가 높아야 하는데, 왜 어떤 때는 가냘프고 연약하며 손가락도 긴 섬세한 남자들이 인기일까?

남자들도 43도 힙 라인의 여성만 좋아하는 것은 아니다. 옛날 고려, 조선의 남자 조상들은 동글납작한 동양 여성들만 봤으니 그들 앞에 현대의 쭉 쭉 빵빵한(?) 미녀들이 나타나면 "에이, 저게 뭐냐!" 그랬을까?

만일 그렇다 해도 그 사실을 어떻게 논리적으로 증명하겠는가? 저런 몇 마디 말로 과학을 단정적으로 논한다는 자체가 무책임하다는 느낌이다. 과학이 인생관과 세계관을 결정하여 인간에게 큰 영향을 미친다는 것을 고려할 때 염려스러운 일이 아닐 수 없다.

아니다. 지금 보기에 아름다운 것은 어느 시대에나 아름다운 것이다. 43도 힙 라인의 여성을 선호하는 것이 정답이라면 안정적 구조에 관한 절대적 호감 때문이다. 우리의 뼛속에 아름다움에 대한 기준이 깊이 박혀 있다는 차원에서는 비슷하지만 그것이 조상 때부터 학습된 것은 아니라는 말이다. 아무리 칫솔질을 많이 해 한쪽 팔이 굵어져도 아이를 낳으면 원 상태로 나온다. 후천적 획득형질은 유전되지 않는 것이라 '라마르크의 기린', 즉 용불용설이 멘델의 유전법칙에 의해 무참히 깨진 마당에 아직도 수 천년 전 남자들의 호감도가 남아 있다고 주장하다니….

처음 잠깐은 눈에 익지 않고 문화적 습성의 차이는 있을 수 있지만, 신체 비율이 좋은 사람은 학습 때문에 좋게 보이는 것이 아니라 사람에게 심어진 아름다움의 원리 때문에 그렇게 느껴지는 것이다. 레오나르도 다빈치는 이런 원리를 깨달아 사람의 신체에 그런 비율이 엄청나게 많이 숨어 있음을 알았고, 그것을 이용해 안정적인 형태의 그림을 그렸던 것이다. 피보나치수열이나 황금비율을 거론하며 굳이 입증하지 않더라도 그건 그냥 보기에 좋은 것이다.

심지어 진화론자들은 오래전 여성(암컷)들이 털이 없는 남성(수컷)을 선호했기 때문에 남성들의 몸에 털이 없어져 오늘날처럼 진화했다고 한다. 그들은 인간의 존엄성을 격하시키는 이론을 최첨단 과학이라고 부르기를 마다하지 않는다. 진화론의 입맛에 맞추기 위해서 우리의 존엄성은 얼마나 더 추락해야 하는 것일까?

아름다움과 추함, 선과 악, 진리와 비진리는 불변의 절대적인 것이다. 모든 일을 상대주의적으로 바라보고 "나는 동성애가 좋아 보여.", "아빠만 둘이거나 엄마만 둘이어도 상관없어.", "나는 엽기적이고 혐오스러운 게 좋아." 이렇게 말하면서 '다 보기 나름이지 정해진 것은 없다.'라고 주장하는 이들이 있다. 계속 그렇게 보고 살아가면 몇 천 년 후의 사람들은 다 동성애자가 될까? 그들은 아빠만 둘, 엄마만 둘로 어디서 아이들을 데려다 키울까?

지금의 저출산 추세로 가도 700~800년 정도가 흐르면 지구상에 한국인이 단 한 사람도 없게 된다는 분석이 있는데, 점점 더 순리를 거스려 자기 생각대로 동성과 결혼을 하거나 아이를 두지 않고 인생을 즐기기만 한다면 인류는 자멸하고 말 것이다. 물론 진화론자들은 그것을 또한 자연선택의 자연스러운 결과라고 하겠지만 말이다.

아름다움은 고정된 것이다. 또한 인간은 짐승이 아니고 외적인 눈만 있는 것이 아니기 때문에 저런 조건에 못 미쳐도 다른 이유로 사랑하고 또 예쁘게 볼 수 있는 인격과 감정을 지녔다. 그것도 진화의 산물일까? 생각은 자유지만, 최소한 소설을 써놓고 그게 과학이라고 우기지는 말아야 한다.

어떤 말을 해도 진화만 전파되면 그만이라고 생각하는 이들이 있다. 이는 더 큰 개념인 과학을 그보다 작은 개념인 진화론에 가두려는 사람들이다. 이제는 독자들과 배우는 사람들이 알아서 판단하고 잘못된 것은 거부할 수 있는 최소한의 지식을 지녀야 한다. 이 싸움은 바른 세계관과 밝은 세상을 위한 전쟁이기 때문이다.

PART 3

| 인간과 사회 |

In time

인 타임 | 1%가 99%를 지배하는 뒤틀린 미래

Kingsman

킹스맨 | 가이아 이론, 그리고 인종 말살

생각하는 과학칼럼 5 : NOMA 원리, 그 지적인 꼼수

Inside out

인사이드 아웃 | 나는 여기 있는데 '진짜 나'를 만나라고?

Lucy

루시 | 뇌를 100% 다 쓰면 전지전능한 존재?

인 타임
In Time

1%가 99%를 지배하는 뒤틀린 미래

제작 : 2011년
감독 : 앤드류 니콜
주연 : 저스틴 팀버레이크·아만다 사이프리드

유전자가 완성돼 시간이 수명이 되고 돈과 권력이 된 미래 사회의 양극화와 부조리

시간의 노예로 사는 사람들

대부분의 사람들이 시간의 노예가 되는 암울한 미래를 그리고 있는 이 영화는 SF를 도구로 불합리한 인간 세상을 풍자하는 영화이다. 다소 무거운 주제인 양극화와 사회적 불평등 문제를 다루고 있다.

미래의 어느 시대, 사람들은 모두 시간을 사고판다. 그 시대는 사람의 유전자가 완성되어 모두가 완벽한 상태로 태어나는데, 25세에서 노화가 멈추며 시간이 모자라는 것 외에 건강 때문에 죽을 일은 없는, 모두가 20대 중반의 젊은이인 세상이다.

팔뚝에는 타이머가 이식되어 각자에게 남은 시간이 초 단위까지 표시돼 있으며 그 숫자는 점점 줄어들고 있다. 대개의 서민들은 온종일 일을 해 하루의 시간을 전송받고 또 불안한 하루를 시작한다. 시간을 전송받지 못하면 그 자리에서 죽게 된다. 시간은 사람간에 서로 전송도 가능한데, 시간을 벌지 못하면 남은 시간이 다하기 전에 가족이나 지인을 만나 보충해야 한다.

시간 배급소에서는 빈민들을 위해 시간을 조금씩 나눠주며 연명하게 하지만 하루에도 수많은 사람들이 시간 부족으로 죽어간다. 반면에 부유한 이들은 엄청난 부를 축적해 시간을 사서 무한정 저장해두고, 그것으로 약자들을 지배하며 거의 영원히 산다. 그야말로 적자생존과 약육강식의 세상이다.

어느 날 빈민층인 주인공 윌 살라스의 어머니는 하루 일을 마치고 돌아오다가 버스비로 낼 시간이 모자라 뛰어 보지만 시간이 거의 떨어져 간다. 그녀는 멀리서 시간을 전송해주기 위해 달려오는 아들의 품에 안겼지만 코앞에서 이미 시간이 다해 숨을 거둔다.

이런 세상에 불만을 품고 사는 윌은 우연찮게 빈민굴로 들어온 갑부의 시간을 빼앗으려는 불량배들을 발견하고 그를 보호해주게 된다. 세상에 염증을 느낀 갑부는 윌이 잠든 사이 그에게 100년이 넘는 시간을 전송하고 자살한다. 갑부의 죽음을 보고 의심을 품은 경찰은 함께 있었던 윌을 추적하고, 갑자기 시간이 크게 늘어난 윌은 시간을 빼앗기 위해 갑부를 죽인 살해범으로 오해를 받는다.

그러던 어느 날 윌은 자신과 격투를 벌인 경찰이 실신하자 쓰러진 경찰에게 자기가 가진 시간을 일부 전송해주고 간다. 빈민층을 억압하던 경찰들도 하루 벌어 하루를 사는, 지배층의 노예였으며 자신과 비슷한 처지였던 것이다.

윌은 빈민들의 출입이 금지된 상류층의 경계를 무단으로 넘어서 카지노에 가게 되는데, 여기서 최고 거물을 만나고, 몇 번의 도박으로 더 많은 시간을 벌게 된다. 그리고 그를 의심하는 이들에게 쫓기다 알게 된 거물의 딸, 겉은 순종적이지만 반항심을 품은 실비아와 함께 그곳을 탈출한다.

시간의 금고를 차지한 윌과 실비아

두 사람은 0.1%가 모두에게 군림하고 대다수는 하루살이처럼 사는 세상에 대항하며 곳곳의 시간 은행을 털어 사람들에게 나누어 주다가 수배되어 쫓긴다. 두 사람은 이 과정에서 시간을 빼앗기기도 하고 죽을 고비를 넘기기도 하는데, 결국 실비아 아버지의 본거지에 잠입해 금고를 차지한다.

그런데 비밀번호가 문제였다. 비밀번호는 실비아 아버지의 생일도 아니었다. 권총을 들이대며 협박해 알아내고 보니 1809년 2월 12일, 바로 찰스 다윈의 생일이었다. 마침내 두 사람은 금고를 열어 온 세상 사람들에게 시간을 나누어 준다.

소수 지배층의 그릇된 욕망

이 할리우드 영화는 놀랍게도 진화론을 지지하지 않는다. 오히려 진화론의 악한 실체와 구도를 잘 파헤쳤다. 이런 영화를 많은 사람들이 봐야 하는데, 흥행의 요소가 적고 완성도가 아쉬워 크게 성공은 하지 못했다.

비밀번호가 왜 다윈의 생일이었겠는가? 다윈은 생존경쟁에서 승리한 자들에게는 지배와 군림을 정당화할 '과학적' 이론을 제공한 고마운 인물이기 때문이다.

물론 세상은 다윈의 진화론이 없었어도 이렇게 흘러와 똑같이 전개됐을 것이다. 왜냐하면 진화론이라고 명명된 이 이론은 다른 여러 이름으로 애초부터 존재했기 때문이다. 기득권을 지닌 사람들은 함께 삶을 영위하며 공존하기보다는 온갖 방법을 동원해 어려운 사람들을 착취해 자기들만의 세상을 만들고자 했다. 그래서 공산주의도 말은 그럴듯하지만 결국 소수 기득권층의 배를 불리는 사상, 불가능한 이상향에 불과하지 않은가. 그런데 그런 악한 의도에 근거를 제공하는 것이 진화론이다.

이 영화에서 보듯이, 기득권층은 보통 사람들보다 수백 배의 시간(재물)을 지니고 살면서 영원한 삶을 누리려고 계속 윤회하며, 더 나은 사람으로 태어나기를 거듭하다 보면 결국은 신에 도달한다는 것, 그리고 인간은 원숭이와 신의 중간적 존재라는 진화 사상을 숭배하는 자들이다. 그들은 평화와 평등을 싫어하며, 어떤 이득 없이 남들과 나누는 일은 절대 하지 않는다. 우리나라로 치면 남북통일도 바라지 않고, 이대로 누리며 잘 먹고 잘 살기를 원하는 부유층과도 같다.

이들은 높은 물가와 경제공황을 오히려 반기며, 구질구질한 저소득층을 누군가가 싹 쓸어버리길 은근히 바란다.

이 영화에 나오는 '시간'은 돈이자 권력이며, 식량이고 삶이며 기득권이다. 앞으로 이런 자들의 횡포는 더욱 거세질 것이지만, 99%의 피해자들은 이들에게 늘 당하면서도 오히려 진화론에 무지한 노예로 살아간다. 이것이 진화론의 실체를 간파한 사람들이 느끼는 가장 큰 안타까움이다. 그 약자들은 진화론이 과학이고, 반대론자들은 어떤 종교적 신념 때문에 반대를 위한 반대를 하고 있다고 생각한다. 그러나 진화론은 분명히 강자들을 위한 거짓 과학이다. 영화에서처럼 진화론적 논리가 사회의 약자들에게 어떤 피해를 주고 있는지 사회의 구성원이라면 심각하게 고민해 보아야 할 것이다.

1%로의 신분상승을 꿈꾸는 하류층

그런데 항상 소외되는 계층은 세상을 바꾸려 하기보다는 자신들 위에 군림하는 자들의 밑으로 들어가려는 경향이 있다. 선거철마다 소외계층들은 자신들을 도우려는 소수 정당을 지지하지 않고, 보수적이며 기득권을 쥐고 있는 부유층의 정당을 지지하곤 한다. 이런 현상은 영화감독 마이클 무어(M. Moore)의 다음 말이 많은 것을 설명해준다고 본다.

〈슈퍼사이즈 미〉, 〈식코〉 등으로 불합리한 사회 문제를 조명하는 영화감독 마이클 무어

95%를 다 합친 것보다 많은 부를 지닌 1%의 사람들이 두려워한 것이 한 가지 있었다. 그것은 95%에게 자신들과 동일한 투표권이 있다는 사실이었다. 하지만 놀랍게도 그들은 1%를 위해 투표를 해주었다. 언젠가는 그들처럼 될 거라는 희망 때문이었다.

이처럼 진화론은 헛된 희망을 주면서 인간의 욕망을 부추긴다. 할 수만 있다면 자신이 기득권을 잡고 세상에 올라서려는 사람들의 욕심을 교묘히 이용한다. 약자들은 희망고문에 시달리면서도 포기할 수가 없다.

실제 사회 구조 속에서 진화론의 논리는 강자에게는 유리하고 약자에게는 불리하게 작용하고 있다. 그런데도 대부분의 약자들은 진화론을 신봉한다. 진화론은 소수 엘리트 사회에 당위성을 제공하는 악한 이론이다. 찰스 다윈은 이들의 금고와 곳간을 제어하는 열쇠이다. 그 봉인을 해제하면 99%가 행복하고, 그것을 굳게 잠그면 지금과 같은 불평등이 지속된다. 그런데도 99%의 사람들은 자신들도 1%에 들 수 있다는 허황된 꿈과 욕망으로 그 봉인을 바라만 보고 있다.

▌양극화의 현실을 극명하게 대비시킨 〈설국열차〉

이런 심리를 너무나 잘 아는 기득권층은 약간의 먹잇감으로 이 상황을 잘 이용하며 세상을 계속 유지하고 있다. 마치 〈설국열차〉의 머리와 꼬리처럼 이용하고 이용당하는 구조가 당연시되고 있다. 심지어 약자들의 편인 척하면서 부유층과 결탁해 자신의 기득권을 유지하고 살아가는 자들까지 존재한다. 설국 열차의 꼬리 칸 우두머리 지도자조차도 머리 칸의 리더와 한 패이지 않았던가?

진화론은 기득권자들의 바이블이자 매뉴얼이다. 소외계층도 진화론만 가르치면 사회의 불합리한 구조에도 순응하게 되기 때문에 그들은 절대로 진화 사상을 내려놓을 수 없다. 아마도 세상이 존재하는 한 진화론도 필수불가결한 도구로 언제까지나 남아 이용될 것이다. 그러므로 그것에 동참하지 않는 것만이 세상을 되돌릴 유일한 방법이다. 사회에 하등의 도움이 되지 않는 이 어처구니 없는 이론을 고사시키는 것만이 모두가 평등한 인격체로 행복하게 살아가는 길일 것이다.

킹스맨

Kingsman : secret service

가이아 이론, 그리고 인종 말살

제작 : 2015년
감독 : 매튜 본
주연 : 콜린 퍼스·사무엘 잭슨·태론 에거튼

비밀요원 킹스맨들이 인종 말살을 정당화하는 악당으로부터 인류를 지키는 액션 영화

인류를 쥐락펴락하는 비밀의 손

〈킹스맨 : 시크릿 에이전트〉라는 제목으로 한국에서 개봉된 이 영화는 개봉 전의 기대보다 선전하며 흥행에 크게 성공했다. 이 영화에서는 엄청난 폭력을 게임처럼 표현한 잔인함과 천연덕스러움에 혀를 내두를 정도의 충격과 사악함이 느껴진다.

사람을 그야말로 밥 먹듯이 죽이는데, 마치 만화처럼, 전신이 반으로 쪼개져도 피가 별로 흐르지 않고, 머리통이 폭발해도 마치 불꽃놀이처럼 묘사한다. 그러면서도 〈아이언맨〉, 〈스파이더맨〉 등을 출간한 마블코믹스의 만화 원작답게 지루할 틈 없이 전개되는 흥미진진한 오락영화라 일단 재미있게 보게 된다. 관객 평점도 9.0이 넘고 반응도 대단했다.

세상에 전혀 알려지지 않은 단체인 '킹스맨'은 비밀요원들을 일컫는 말이다. 이들은 1894년 창설된 국가 권력자들을 위한 재단사 조직인데, 1차 세계대전 때 그 상속자들이 사망하면서 남긴 막대한 돈을 세계평화를 위해 쓴다는 설정이다.

'킹스맨 테일러'라는 위장한 양복점을 본거지로 둔 이 비밀 집단의 요원 해리는 자기를 포함한 요원들의 목숨을 구하고 죽은 동료의 가족을 찾았다가 그의 어린 아들 에그시에게 '도움이 필요하면 연락하라'고 말한다. 에그시는 시시한 인생을 살다가 성인이 될 즈음 위기를 맞는데, 이때 해리를 떠올리고 전화를 하면서 아버지가 걸어갔던 비밀요원의 길에 도전해 위기에 빠진 인류를 구하게 된다.

살아 남을 자들만 현대판 노아의 방주로

한편 발렌타인이라는 미치광이 IT 전문가는 칼날 같은 철제 의족을 무기로 쓰는 여인 가젤과 함께 일한다. 그는 세계인들의 귀 밑에 칩을 심어 휴대폰을 평생 공짜로 쓰게 한 뒤 원격 제어로 감정과 생명까지 조종하려는 음모를 지니고 있다. 이들을 저지하려던 해리는 중간에 사망하게 되고, 그의 뒤를 이어받은 에그시가 뛰어든다.

악당 발렌타인의 목표는 일부 사람만 남기고 나머지는 죽게 만드는 것이다. 지구는 이미 포화상태에 이르렀고, 불필요한 인간은 너무나 많기 때문이다. 그에게 줄을 선 각국 정상이나 재산가들만 남기고 다른 모든 지역은 칩에 의한 감정 교란으로 서로 죽고 죽이는 혼란에 빠뜨려 자멸하도록 시도한다. 그 결과, 서울을 비롯한 세계 각국의 대도시 사람들은 칩의 명령에 따라 자기 가족에게조차 죽을 때까지 폭력을 가하는 괴물들로 변해간다. 극심한 양극화로 발렌타인의 방주에 탈 자들은 매우 소수이다.

세상을 조종하는 보이지 않는 비밀의 손은 분명히 존재한다. 이들은 진화 사상을 바탕으로 이 일을 한다. 〈진화론에는 진화가 없다(교진추 저)〉에 수록했듯이 유네스코(UNESCO)의 초대 사무총장인 줄리언 헉슬리(J. Huxley)는 우생학적 진화론의 개념으로 "인류의 공멸을 막으려면 최단기간에 최대 진보를 이루는 조치가 필요한데, 이를 위해 우등한 존재들 위주로 지구를 재편해야 하며, 열등하고 도움이 안 되는 종족을 제거하는 일이 정당성을 얻게 될 것"이라고 했다.

이 일에 대해서는 어떤 신학이나 종교의 방해도 무의미하며, 결국 세계 단일정부가 필요할 것이라고 명문화했다. 실제로 프리메이슨과 비슷한 목적으로 활동하는 천주교 제수이트(예수회)의 정예조직인 일루미나티(Illuminati)는 공공연하게 자신들의 목표를 지구인 5억만 남기는 것이라고 명시한다.

미국에서는 수많은 총기사건에도 불구하고 총기 제조사들의 막대한 로비는 상하원을 장악하고 있으므로 쉽게 해결되지 않는다. 또 다른 예로, 암의 정복이 실제로 가능한 연구소에는 제약회사의 로비로 지원금이 가지 않는다. 이런 일은 거대한 비즈니스가 된 '질병'을 놓고 병원과 제약계가 세상 사람들에게 병과 약을 동시에 주면서 영리를 취하기 때문이다. 사람들은 그들을 위해 병을 앓으며, 막대한 진료비와 약값을 지불하는 것이 오늘의 현실이다.

영화에서는 생존자를 극소수만 남기는 것으로 나오지만, 실제는 그렇지 않다. 그래서 5억 명이라 말하는 것이다. 1%의 VIP만 남으면 누가 일하고, 누가 그들이 만든 물건을 소비하며, 누가 그들에게 투표해 권력을 유지시키게 하겠는가? 그들이 만든 프랜차이즈 기업의 물건을 사게 하고, 자신들을 우러러보며 소처럼 복종하고, 궂은 일을 도맡아 해줄 중산층의 사람들이 필요하지 않겠는가? 그들을 다 죽일 수는 없을 것이다. 다만 자신들의 영역을 넘어오지 못하도록 길들이면 된다.

대량 살상의 면죄부 '가이아 이론'

이런 엄청난 일들에 과학으로 포장한 진화론이 동원되어 그들의 죄책감을 없애준다. 누군가가 죽어야 나머지가 살아남는다면, 진화의 산물인 인류는 자연선택을 하게 된다. 그 일에 누군가 총대를 멘다면 그는 자연선택의 도구에 불과하다. 아니, 오히려 일등공신이 된다.

바로 그런 역할을 하는 자인 발렌타인은 영화에서 가이아 이론(Gaia Theory)을 말한다. 지구는 유기적 생명체이므로 스스로 살아갈 길을 찾게 된다는 일종의 진화 이론이다. 기상이변이나 환경파괴, 핵문제 등을 놓고 볼 때, 지구가 과연 위기를 맞아 대재앙으로 갈 것인지, 어떻게든 자정능력을 발휘해 살아남을 것인지 의견이 분분한데, 후자인 낙관론에 속하는 주장이 바로 가이아 이론(가설)이다. 물론 이는 가설이지만 최근에는 대학교의 생태학 교재나 일부 고등학교 생물 교과서에도 수록될 정도로 과학 이론 대접을 받기도 한다.

▌대지의 여신의 이름을 딴 가이아 이론을 주장한 영국의 과학자 제임스 러브록

이것은 한 마디로, 지구를 '살아 있는 하나의 거대한 유기체'로 보는 이론인데, 1970년대 초 영국의 제임스 러브록(J. Lovelock)이 〈지구상의 생명을 보는 새로운 관점〉이라는 저서를 통해 내놓은 주장이다. 이 가설은 지구상의 생물들을, 환경 변화에 적응하고 버티는 수동적 존재가 아닌, 지구의 물리 화학적 환경을 변화시키고 조절하는 능동적 존재로 설명한다. 이는 진화론적 생태학이라고 부를 수 있다. 균일론적 지질학, 생물진화학, 기후학 등 철저히 진화론에 바탕을 둔 학설이기 때문이다.

러브록은 가이아 이론이 (진화론의 연대에서 주장하는) 지난 30억 년 동안 대기권의 원소와 해양 염분 농도 등이 일정하게 유지돼 왔다는 자신들의 과학적 분석에 근거를 두었다고 한다. 이것은 지구상에 생물이 등장하여 대륙과 바다를 오가며 각종 물질의 매개자가 되고, 지형을 바꾸는 등 적극적으로 환경을 적절히 유지해 왔기 때문에 가능한 것이었다는데, 앞으로도 모든 자연과 생물이 일정한 상태를 유지할 것으로 예상한다.

'가이아(Gaia/Gaea)'란 그리스 신화에 나오는 '대지의 여신'의 이름이다. 이 이론은 과학 분야의 한 줄기 같지만 사실은 그릇된 세계관의 산물이며 진화론의 한 가지에 불과하다. 이는 정령숭배나 샤머니즘 등 미신적 신앙과 연결돼 있다고 볼 수 있다. 과학이 아니라 종교에 가깝다.

▌지구를 들고 눈물 흘리는 가이아 여신의 이미지. 가이아 이론은 과학과 미신이 결합된 종교적 가설이다.

'지구 어머니'나 '대지의 여신'을 찾는 이들이 실제로 있다. 그들은 지구 내부의 어떤 존재와 교신하며 그녀가 울고 있다고 말하기도 하고, 스스로 메신저가 되어 여신의 말을 전하기도 한다.

진리와 선한 가치를 세탁하는 진화론

〈킹스맨〉에서는, 사람들이 지구를 숙주로 하는 바이러스와 같은 존재이므로 바이러스가 이겨 살아남으면 지구가 파괴되어 공멸하고, 바이러스를 제거하면 지구가 건강해진다는 논리를 편다. 그러므로 폭발하는 인구를 축소하는 것은 바이러스 스스로 개체 수를 조절하는 자연선택적 활동이다. 이런 진화 사상이 범죄의 당위성을 뒷받침한다.

영화에서는 이런 사상을 뒤집어 인류를 살리지만 세상이 진화론을 받아들인다는 것은 결국 소수 기득권층의 적자생존과 약육강식 논리를 그대로 인정하는 것이며, 끝내 화살은 인류 자신에게 돌아갈 것임을 모르고 저지르는 바보 같은 고집이다. 진화론은 애초에 가난한 자들이나 대중을 위한 것이 아니며 칼자루를 쥔 극소수 지배계층의 폭력과 지배를 정당화하는 이론이다.

지구에 자정 능력이 있는 것은 사실이다. 지구에는 비밀조직만 있는 것이 아니라 보이지 않는 자연의 손길이 있다. 사람이 씨를 뿌리지 않아도 벌이 식물들을 매개해 온갖 꽃과 과일이 열리기도 한다. 꿀벌들은 의사소통을 위한 고유의 신호를 주고받으며 꿀이 있는 곳으로 동료들을 안내하는 기술을 타고났다. 그들은 열심히 일하고 생을 마감한다. 여왕벌은 알을 낳는 자신의 임무에 충실한 뒤에 또 생을 마감한다. 이들이야말로 지구촌에서 가장 이로운 비밀 요원이다.

그렇다면 이처럼 벌들에게 처음부터 입력된 놀라운 공생의 시스템이 가이아의 손길일까? 그렇게 믿는 사람이 있다면 그는 지적 설계자를 다른 존재로 바꾼 창조론자라고 할 수 있다. 제임스 러브록은 가이아 여신을, 리처드 도킨스는 눈먼 시계공을 각자의 신으로 믿은 것이다.

그런데 그 모든 이론이 이상하게도 널리 사람을 이롭게 하는 일에 쓰이지 않고, 자기만 잘 살겠다는 이들의 탐욕을 채워주는 일에 주로 이용되고 있다. 왜냐하면 진화론은 과학의 이름으로 무엇이든 가능하게 해주는 편리한 이론이기 때문이다. 지구촌 사람들은 소수의 기득권층을 비난하기 전에, 불평등한 시스템을 논하기 전에 이 모두를 정당화시키는 거짓 과학인 진화론을 직시하고 배척해야 할 것이다. 진화론은 자신을 통과하는 세상의 모든 진리와 가치와 아름다운 것들을 세탁해 악하고 부정적인 것으로 만드는 마법의 터널이기 때문이다.

| 생각하는 과학칼럼 4 |

NOMA 원리, 그 지적인 꼼수

진화론만 유일한 과학이고, 다른 것은 모두 종교라고 우기는 진화론자들. 그들은 '당신들의 주장도 과학이라면 왜 유명 학술지의 논문이 없느냐'고 묻곤 한다. 진화론을 배제한 지적 설계론 등이 그렇게 신빙성이 있으면 〈네이처〉나 〈사이언스〉 같은 곳에 왜 논문으로 발표되지 않느냐는 질문이다. 과연 왜 그럴까? 역시 진화론자가 아니면 모두 과학계의 변방을 떠도는 부실한 사람들이고, 종교적인 믿음에 근거해 억지 주장을 펴고 있기 때문일까?

우선 과학 학술지들이 모두 진실만을 발표한다고 믿는 것은 오산이다. 미국의 과학 윤리국에서 발표한 자료를 보면, 표절 등 과학적 사기의 사례가 매년 증가하고 있다(줄기세포 파동이 한 예임). 또한 유력 학술지는 진화론자들이 장악하고 있다는 사실도 알아야 한다. 그토록 세계적이라는 학술지가 한국의 교진추라는 작은 단체에서 케케묵은 이야기, 그것도 진화론자들 스스로 근거 없다고 1980년대에 결론지은 시조새 화석에 대해 교과서 개정 청원을 했다고 해서 한국의 과학자들이 종교 세력에 무릎을 꿇었다느니 하며 법석을 떨었다. 어찌나 오지랖이 넓은지 모른다.

교진추의 시조새 청원 당시 교육과학부에 무단 침입해 방화를 하려다 미수에 그치고 홧김에 자살한 사람도 있었다. 그는 8,000여 편의 반 기독교

글을 쓴 네티즌이었는데, 실제 방화라도 일으켰다면 얼마나 끔찍했을까? 이는 창조-진화 논쟁이 무서운 사상과 이념의 싸움임을 알려주는 대목이었다.

진화론만 다루는 학술지들이 진화론과 대립하는 논문을 게재할 리도 만무하지만, 만일 그렇게 한다면 독자들의 빗발치는 항의에 폐간의 위기를 맞게 될 것이다. 만일 국내의 지상파 방송에서 창조론 홍보나 진화론에 대한 반박내용을 다큐멘터리로 방송한다고 가정해 보자. 아마도 방송국 전화에 불이 나고, 홈페이지 서버가 다운되는 등, 거센 반발과 항의로 방송국이 골머리를 앓게 되고, 정정 보도를 하지 않는다면 국민 불매운동에 직면할 것이다.

과학의 구조를 이해하지 않으면 진화론이 사이비 과학이라는 사실을 알기 어렵다. '자연과학'은 '실험과학'과 '기원과학'으로 나눌 수 있는데, 실험과학은 이견이 없는 증거로 나타나지만, 기원과학은 설계론-진화론으로 양분되어 있다. 기원의 주제는 보여줄 수도 없고, 증명할 수도 없다. 다만 여러 증거들로 유추하는 하나의 해석체계일 뿐이다. 만일 진화론자들이 자신들의 기원과학을 실험과학인 양 포장하지 않는다면, 우리도 하나의 설로 주장을 펴고 토론할 용의가 있다.

진화론을 지지하지 않는 과학자들은 세계적으로 수십만이 넘을 것이다. 진화론을 거부하고 있는 그들은 모두 과학자이다. 그들은 대학과 연구소에서 가르치고 연구하며 병원에서 후진을 양성하고 직접 진단과 처방, 수술까지 하는 전문 인력들이다.

〈킹스맨〉의 감독 매튜 본은 〈엑스맨 : 퍼스트클래스(2011)〉의 감독이다. 진화론의 한 형태인 단속평형설을 기초로 만든 것이 〈엑스맨〉 시리즈이다. 스티븐 제이 굴드(S. J. Gould)의 단속평형설은 이른바 '바람직한 괴물설'로, 이로운 돌연변이가 격리집단에서 아주 짧은 기간(약 5만 년)에 일어나 갑자기 생물진화를 유발한 후 평형을 유지하게 한다는, 사실 말도 안 되는 가설이다. 유명하다고 비논리까지 인정되는 것은 아니다. 오죽하면 리처드 도킨스와 에른스트 마이어(E. Mayr)와 같은 진화론자들까지도 엉뚱한 소리라고 일축했을까? 이와 같이 진화론이 한 가지 이론이라고 생각하면 오산이다. 진화론은 무엇으로든 변신할 수 있다. 한마디로 '특별창조 싫은 사람, 여기 붙어라' 이론이다.

▮ 단속평형설을 모티프로 만든 영화 〈엑스맨〉 시리즈의 〈엑스맨 : 퍼스트클래스〉

그런데 굴드의 혁혁한 공로가 하나 있다. 굴드는 이른바 '노마(NOMA) 원리'를 개발해 다른 반론들이 넘어오지 못하도록 선을 그었다.

노마원리(NOnoverlapping MAgisteria; NOMA)란 '교도권 분리'를 말한다. 교도권 분리는 "과학(자연 분야)과 종교(윤리·도덕 분야)는 탐구하는 영역이 달라 겹치지 않으므로 서로 간섭하지 말고 제 갈 길을 가자."라는 주장이다. 관할 영역이 다르고, 담당한 분야 자체가 다르므로 싸울 필요도 논쟁할 이유도 없다는 것이다. 마치 이 나라의 법을 가지고 저 나라에 가서 다툴 필요 없다는 것과 마찬가지다.

이 그럴듯한 말을 듣고 창조-진화 논쟁에 혼란스러워하던 미국의 많은 지식층이 동감하게 되었으며, 결국 '진화론은 과학, 창조론은 종교'라는 등식이 고착되기에 이르렀다. 결국 노마원리는 미국에서 창조론 교육을 퇴출시키고 진화론 교육을 정착시키는 강력한 무기가 되었다.

▮ 살아생전에 '진화의 중간 종 화석은 없다'고 늘 외쳤던 하버드 대학 교수 스티븐 제이 굴드

그러나 진화론은 하나의 해석체계 안에서만 통용되는 것으로 종교와 다름이 없다. 진화의 증거가 없으니 안 일어났을 수도 있다는 전제를 도입한다면, 진화론은 모두 무너지기 마련이다. 그래서 이러한 사정을 잘 아는 고생물학자 굴드는 늘 "진화의 중간 종은 없다!"고 밤낮 부르짖으면서도 어떻게든 진화 사상을 보호하려고 이처럼 무리한 단속평형설을 제안한 것이다. 그 중간종이 없다는 콤플렉스 때문에 단속평형설이 나오게 된 것이다. 이론을 바꾸지 않고 믿음에 맞춰 과학을 바꾼 결과물이다.

이처럼 그들은 지금의 자리를 절대 놓지 않으려 한다. 그러나 우리는 NOMA원리와 같은 치밀한 방어이론에 속아서는 안 된다. 진화론을 잘 모르는 사람들이나 진화론만이 과학이라고 오해하는 이들은 그 실체를 직시해야 한다. 또한 진화론보다 더욱 많은 증거와 현실적인 증명이 가능한 이론(지적 설계론 등)이 있다는 사실을 알고, 그들이 만들어 놓은 편견과 선입견의 방에서 하루빨리 빠져나와야 한다.

인사이드 아웃

Inside out

나는 여기 있는데 '진짜 나'를 만나라고?

제작 : 2015년
감독 : 피트 닥터
주연 : (목소리) 에이미 포엘러·필리스 스미스

각기 다른 다섯 가지 감정이 주인공을 콘트롤하는 과정을 보여주는 3D 애니메이션

'나'를 조종하는 다섯 개의 감정?

월트디즈니와 픽사가 만든 이 애니메이션 영화는, 사람의 머릿속에는 그를 조종하는 다섯 개의 감정이 있고, 그 안에는 몇 개의 큰 기억의 섬, 그리고 다양한 장치와 나라들이 있어서 기억을 저장하고 폐기하는 많은 공간과 관리자가 있다는 설정이다. 'inside out'은 밖에서 벌어지는 일들과 안에서 벌어지는 것들을 '뒤집어' 본다는 의미일 것이다.

다섯 개의 감정 중 메인은 기쁨(joy)이고, 슬픔(sadness), 분노(anger), 소심(fear), 까칠(disgust)이 함께한다. '기쁨'과 '슬픔'이 절망에 빠진 주인공을

■ 맨 위 중간부터 시계방향으로 기쁨·분노·슬픔·소심·까칠. 주인공을 조종하는 다섯 가지 감정이다.

구하기 위해 조종석을 이탈해 머릿속 넓은 세상을 헤매다가 해답을 얻는다는 내용으로 많은 것을 돌아보게 하는, 나름대로 따스한 가족 영화이다.

열한 살 소녀 라일리는 부모의 소중한 딸이지만, 가세가 기울어 먼 지역의 허름한 집으로 이사하게 되자 환경의 변화에 적응하지 못하고 극심한 혼란을 겪는다. 그 과정 동안 머릿속에서 벌어지는 일들이 주된 스토리이다. 애니메이션으로는 드물게 심리학을 매개로 한 독특한 소재이다.

기쁨이 거의 주인공이지만 사건 해결의 실마리는 오히려 상상의 존재인 빙봉의 희생과 늘 좌절하는 슬픔에게서 나온다. 기쁨은 슬픔을 전제로 하기 때문이다. 절망에 빠진 인간만이 희망을 찾는 법이다. 그래서 네 캐릭터가 모두 특정한 색깔로 이루어져 있지만 기쁨만은 자신의 색인 노랑에 슬픔의 색인 파랑 머리를 하고 있다.

내 행동은 어디에서 왔을까?

물론 이 영화도 진화론을 기반으로 만들어졌다. 그래서 '영혼' 같은 건 등장하지 않는다. '이성' 도 등장하지 않고 오직 감정들이 사람을 지배하며, 기억과 상상들이 구축한 나라가 존재할 뿐이다. 또한 기억 소각장의 수많은 기억들을 보면, 뒤에 소개할 영화 〈루시〉에서처럼 아직 인간은 뇌세포의 일부밖에 쓰지 못한다는 논리, 나머지를 다 쓰게 되면 놀라운 가능성의 존재가 된다는 잘못된 뇌과학도 떠오르고, 각자 잠재의식 속의 무한한 능력을 깨워 거인이 되라는 뉴에이지 사상도 떠오른다.

진화론의 '생명기계론'에서 인간은 하나의 로봇과 다름없다. 원소들이 철과 각종 부품으로 이루어져 프로그램의 명령에 따라 움직이듯이, 인간도 궁극적으로는 같은 원소로 이루어지고 프로그래밍 되어 있다는 것이다.

물론 훨씬 복잡하긴 하지만 메커니즘만 알면 인간을 조종하고 희로애락을 조절하는 일도 가능하며, 더 나은 인간을 생산(?)하는 일도 가능해진다는 것이다. 그래서 유전자의 지도를 파악하는 게놈 프로젝트가 진행된 것이다.

▮ 생명기계론을 주장했던 천재 과학자 니콜라 테슬라

그러나 인간이 그렇게 쉽게 파악이 되는 존재일까? 아마도 그것은 영영 불가능한 일일 것이다. 과학의 발달로 사람들은 인간의 행동이 자기 자신의 결정이라기보다는 (물론 본인은 자기가 했다고 생각하겠지만) 외부 자극에 의한 결과라고 분석하고 이해하기 시작했다. 외부 자극은 뇌 안에 있는 기쁨·분노·슬픔·소심·까칠 등과 만나 테슬라(N. Tesla)의 표현처럼 '살갗이 덮인 로봇'에게 명령을 내리는 매우 기계적인 요인을 말한다.

말하자면 사람이 목을 매는 갖가지 감정이나 중요하게 생각하는 가치관과 행동 등이 궁극적으로는 아무 의미 없는 기계적 작용에 지나지 않는다는 것이다. 예컨대 인간이 신을 찾는 것은 죽음의 공포 때문에 스스로 만들어내는 것이고, 자녀와 가족을 사랑하는 것은 종족을 보존하려는 본능의 결과일 뿐이라는 것이다. 많은 풀지 못한 미스터리가 있긴 하지만 결국은 진화로 설명이 가능하고 결론은 이미 나 있으므로 거기 꿰어 맞추기만 하면 된다는 말이다.

행동의 책임은 누가 지는가?

자, 이런 생각이 얼마나 위험한 것인지 모른다. 누가 범죄를 저질러도 그 범인이 심판을 받는 것이 아니라 그에게 외부 자극을 준 존재나 국가나 시스템이 심판을 받게 되기 때문이다. 또한 명령을 수행한 당사자에게 죄가 있다기보다는 그를 지배하는 세포가 잘못된 방향으로 진화하고 돌연변이가 되었으므로 그는 오히려 환경의 희생자가 되어 보호받거나 치료받을 대상으로 바뀐다. 이런 것은 극단적인 예일 수 있지만 실제로 현대사회에서는 이처럼 죄의 원인을 질병에서, 잘못의 주체를 엉뚱한 곳에서 찾는 일이 엄연히 벌어지고 있다.

한마디로 어떤 범행을 한 당사자의 책임을 부정하는 것이다. 영화에서 기쁨과 슬픔이 조종간을 놓고 자리를 떠나자 라일리가 나머지 감정들의 어설픈 조종만을 받으며 알 수 없는 행동들을 하게 되는데, 그것이 사춘기 소녀의 이상한 행동으로 연결되는 것과 같다. 그래서 사춘기를 질풍노도의 시기로 부른다. '이유 없는' 반항이라고 하여 죄를 지어도 책임을 덜 지

우지만 요즘 그런 '아이들'의 범죄는 갈수록 흉악해지고 있다.

비정상적인 인격을 지닌 자들의 범죄에 정상 참작이나 예외를 두는 일은 필요하다. 그러나 생명기계론 같은 것은 정상 참작의 도를 지나치는 것이다. 만일 온 세상이 진화론을 받아들인다면 누가 타인에게 해를 입혀도 그것은 진화를 위한 자연선택적 행동이 되고, 자주 그런 잘못을 하는 존재는 제거하면서 우수한 유전자만 살려야 한다는 논리가 하나도 이상할 것 없는 세상이 된다.

이와 비슷한 것이 잘못된 운명론(숙명론) 같은 것이다. 모든 것이 신의 뜻이라거나, 이미 정해져 있으므로 그 사람이 하는 것이 아니라는 논리이다. 바꾸어 말하면 잘못을 한다 해도 책임이 없다는 말이다.

'진짜 나'는 다섯 가지 감정으로 이루어졌을까?

이 영화는 비교적 건전한 편이다. 그러나 뇌의 메커니즘을 분석하고 그것을 물질적으로만 이해하려 하는 것은 위험한 것임을 알아야 한다. 그것은 절반의 과학일 뿐이다.

그리고 사람은 자기 생각과 결정으로 손발을 움직여 행한 일들에 분명한 책임을 져야 한다. 진화의 산물이 아니기 때문이다. 세상을 진화론자들이 지배하고 진화론적으로 해석하는 일은 매우 위험한 결과를 부른다. 그러므로 설령 무신론자라 해도 특정 종교에 반대하기 위해 진화론을 신봉하는 것은 어리석은 일이다.

상상으로 만든 영화를 우리가 굳이 현실은 그렇지 않다고 주장할 필요는 없을지도 모른다. 다만 이런 영화가 어린아이들의 생각에 잘못된 개념을 심어주는 부분은 분명히 있다고 본다. 그러므로 어린 자녀와 이 영화를 보게 된다면 한 가지는 알려주면 좋을 것 같다. 이것은 영화이고, 누구든지 자기 자신이 결정하고 행동하는 것이며 그 책임도 자기가 지는 것이라고….

'진짜 나를 만날 시간'이라는 영화의 카피처럼 진짜 '나'라는 존재가 어딘가 다른 곳에 있는 것이 아니라, 각자의 마음 자체가 '진짜 나'이며 그것이 바로 진화된 적 없는 인간의 분명한 정체성이다.

루시
Lucy

뇌를 100% 다 쓰면 전지전능한 존재?

제작 : 2014년
감독 : 뤽 베송
주연 : 스칼렛 요한슨·모건 프리먼

뇌의 사용 부분이 늘어나는 한 여인이 세상을 지배하고 전능한 존재가 되는 과정

해프닝으로 끝난 원숭이가 태초의 인류?

이 영화는 한국 배우 최민식의 악역으로 국내에서는 더 화제를 모으기도 했지만 흥행 면에서 큰 성과는 거두지 못했다. 〈레옹〉, 〈제5원소〉 등으로 유명한 프랑스의 뤽 베송은 할리우드의 상업성과 프랑스 영화의 감성이 어우러진 독특한 스타일로 주목받은 인기 감독인데, 갈수록 작품은 할리우드 영화가 되어가는 느낌이다.

그래서인지 점차 '믿고 보는 감독'의 반열에서 멀어지는 듯한 뤽 베송이다. 이 영화는 특히 과도한 설정이 공감을 불러일으키지 못한 것 같다. 인

간 뇌의 사용량을 100%로 극대화해 신의 경지에 도달한다는 것인데, 공상과학에서조차 취급하기 어려운 만화 같은 내용이다.

그런데 이 영화는 마치 진화론 강연물이나 다큐멘터리처럼 보인다. 과도한 설정의 당위성을 부여하기 위해 거의 집착에 가깝게 진화 이론을 소개하고 있기 때문이다. 노먼 박사 역의 모건 프리먼은 영화 출연료보다는 진화론 강연료를 받아 가야 하는 게 아닌지 헷갈릴 정도.

이 영화가 태초의 인간으로 설정하고 있는 '루시'는 학명 오스트랄로피테쿠스 아파렌시스(Australopithecus afarensis)로 불리는 화석의 별칭이다. 영화에서는 여주인공 루시가 시공을 초월해 원숭이 루시를 만나기도 한다. 이 화석은 1973년에 도널드 조핸슨(D. Johanson)이 발견했다. 우연이겠지만 주인공 루시 역의 스칼렛 요한슨(S. Johansson)과 철자는 조금 달라도 이름이 비슷해 재미있다.

그러나 루시는 이미 오래전에 인류와 관련이 없는 것으로 드러난 '그냥 원숭이'이다. 이는 과학자들도 인정한 것으로 프랑스의 한 유명 과학 저널에서도 '아듀, 루시'라는 제목의 특집 기사를 싣기도 했다. '아듀'는 '굿바이'보다 더 멀어지는, 다시 만날 가능성이 없는 이별에 쓰는 말이다.

■ '안녕, 루시'라는 타이틀로 루시(오스트랄로피테쿠스 아파렌시스)가 원숭이로 판명된 것을 알리는 프랑스의 과학 잡지(1999)

이뿐 아니라 모든 종류의 유인원 화석은 인류와 어떠한 연관도 없는 조작이나 단순한 원숭이, 완전한 사람 등 해프닝으로 끝나고 말았다. 아직도 그것을 붙드는 뤽 베송 같은 이들의 머릿속에나 있는, 포기할 수 없는 신기루이다.

루시, 이름에 얽힌 비밀

루시(Lucy)라는 이름은 루실(Lucille)의 애칭이며 룩스(Lux)와도 어원상 연관이 있는데, 루실이나 룩스는 모두 '빛'이라는 뜻을 지니고 있다. 마귀를 뜻하는 라틴어 루시퍼(Lucifer)도 '빛을 나르는 자'라는 뜻으로 킹제임스 영어성경에 등장한다. 타락한 천상의 존재 그룹(cherub, 천사장 아님)으로 하늘에서 추락한 존재이다.

이니셜을 통해 마약 LSD를 은유했다는 의혹으로 금지곡이 됐던 그룹 비틀스의 '다이아몬드를 가진 천상의 루시(Lucy in the Sky with Diamond)' 라는 노래가 있는데, 1973년에 발견된 루시는 당시 유행하던 이 노래에서 이름을 따왔다고 한다.

미국에는 루시스 트러스트(Lucis Trust)라는 뉴에이지 출판사가 있다. 마귀의 신뢰성, 진실성 이런 뜻이다. 이것은 20세기 초반 본격 뉴에이지 시대가 열리는 데 일조한 앨리스 베일리(A. Bailey)가 만든 것이다. 처음에 '루시퍼 트러스트'로 시작했다가 개명한 것인데, 베일리의 뉴에이지 사상과 헬레나 블라바츠키(H. Blavatsky)의 신지학 사상을 퍼뜨리는 출판사이며, 하나로 통합된 세계정부 사상을 전하는 곳이다.

▮ 사회를 망치는 악한 사상을 전파하는 루시스 트러스트 출판사 로고

이들의 지침은 어린 아이들부터 섹스와 마약과 동성애, 마법 등을 가르치고 세상을 타락시켜야 한다는 경악할 메시지들로 이루어져 있다. 놀랍게도 이 출판사의 스폰서는 UN·유니세프·국제앰네스티·그린피스 등이며, 빌 게이츠도 연관이 있는 것으로 알려져 있다. 이들의 로고는 아침 해처럼 떠오르는 루시퍼의 빛을 형상화한 것이다.

뇌 사용량을 증가시켜 신의 경지에 도달하다

인간이 뇌의 10%만을 쓴다는 학설, 그리고 그보다 더 많이 쓰면 무한대의 능력이 생긴다는 것은 근거가 없는 내용이다. 그리고 10%만을 쓴다는 것도, 그야말로 10%의 사람들만 진실을 알고 나머지는 오해하는 낭설이다. 지능은 머리의 크기, 즉 뇌세포의 양보다는 뇌신경이 얼마나 조밀하게 연결되어 있는가에 달려 있으며, 뇌세포를 연결하는 1천조 개의 신경접합부인 스넵스도 중요한 역할을 한다. 또한 뇌를 쓸수록 발전시킬 수 있다는 개념은 오해라고 전문가들은 말한다.

또한 뇌는 인간이 밝혀내기에는 너무 복잡하고 알 수 없는 것이다. 설령 뇌가 복잡하게 '진화' 한 것이 맞는다고 하더라도 거기 정신과 혼이 깃드는 과정은 유물론적인 과학만으로는 설명이 불가능하다. 세포보다 더 작은 원자는 이미 설계자의 계획 속에서 엄청난 속도로 일정한 원을 그리며 돌고 있다. 이것을 누가 지시한 것일까? 이 무한대라 할 수 있는 수명을 지닌 원자들이 모이고, 거기에 생명이 머물며 사고하게 된 것은 진화의 어떤 과정이 담당했다는 말인가? 진화론은 그 답을 줄 수 없다.

영화에서 세포는 스스로 영생하거나 그것이 안 되면 번식을 한다고 했다. 그러므로 번식은 생존을 위한 수단이며 스스로 세상에 오래 살아남기 위해 자신의 속성을 남기는 행위라는 것이다. 그런데 루시는 뇌를 많이 사용하면서 엄마의 젖을 빨던 때까지 거슬러 올라가 그 사랑에 감격하는 모습을 보인다. 이런 행위는 무엇인가? 번식에 어떤 도움이 되기에 인간은 유전자를 퍼뜨린 선대의 은총에 감사하는가? 그렇다면 사람은 어머니뿐 아니라 모든 유인원과 그 위의 파충류와 아메바와 식물과 돌덩어리에도 그런 은총의 사랑을 느껴야 하는 것 아닌가?

영화 속 루시는 뇌의 사용량을 늘리면서 영생의 두 가지 방법 중에 스스로 살아남는 방법을 선택한다. 일종의 자연 선택이라는 메시지이다.

세포가 한 개였다가 두 개로 분열됐다? 그러면 그 새로운 세포는 어떻게 탄생했는가? 원시지구에서 유기물질에 막이 스스로 형성되었다는 코아세르베이트 실험이 교과서에 있다고 해서 진짜가 되는 것이 아니다. 세포의 생성에는 증거가 없다. 원시세포 등의 개념도 없으며 원시지구가 뜨거운 유기물 수프의 바다를 지녔다는 등의 가설도 그저 상상일 뿐이다. 그런 과정이 없으면 지구에서 꽃피운(?) 다윈의 생물진화론과 우주의 생성이라는 빅뱅이 연결될 방법이 없기 때문에 세포의 자연 생성을 억지로 붙잡고 있는 것뿐이다.

그보다 실험적으로 확인된 확실한 사실은 아직도 깨지지 않은 파스퇴르의 "생명은 생명에서만 나온다"는 생물속생설이다. 다른 것을 제시하려면 이것부터 깰 수 있어야 한다.

모든 것이 통제되는 세상을 꿈꾸다

뇌의 사용량을 극대화함으로써 전지전능하게 된 영화 속의 루시는 시간과 공간을 초월해 '모든 곳에' 존재한다. 영화를 보면 아주 잘 표현돼 있다. 모든 곳에 존재하는 것을 편재(偏在)라고 하는데, 전능한 존재만이 가능한 현상이다. '편재'는 영어로 '유비쿼터스(ubiquitous)'이다. 요즘은 인간이 모든 것을 통제하는 유비쿼터스 세상이 사람들이 추구하는 이상향이다. 그것은 흔히 사물 인터넷이라고 불리는 세상으로 모든 것을 인터넷 망을 통해 조절하고, 화면이나 가상현실만이 아닌 실제 물질 세계를 통제하는 것이다.

그런데 이런 세상은 무척 위험하다. 해킹 전문가들은 인터넷만 연결돼 있으면 무엇이든지 해킹이 가능하다고 한다. 다른 사람의 자동차를 스마트폰 하나로 해킹해 죽음으로 몰아갈 수도 있는 것이다. 실제로 타인의 차를 해킹해 시연하고 공개하는 바람에 자동차 회사가 수십 만 대를 리콜하는 사태도 최근에 미국에서 벌어졌다. 이들은 안전성에 대해 경각심을 높이기 위해 이런 일을 했다지만, 악한 생각으로 지구의 인터넷 망에 연결하려는 자가 있다면 인류의 안전은 심각한 위기를 맞게 될 것이다.

▮ 멸시받던 한 남자가 전 세계를 지배하게 된다는 스토리의 〈론머맨〉

스티븐 킹(S. King) 원작의 〈론머 맨(1992)〉이라는 영화가 있었다. 늘 왕따였던 한 정원사

청년이 뇌파를 통해 세상의 모든 통신망을 제어하는 신적인 존재로 변해 가는 과정을 담은 SF 영화로 광고 문구는 "신은 인간을 만들었고, 인간은 론머 맨을 만들었다!"였다. 신의 영역에 다다랐다는 뜻이다.

이와 비슷하게 무의식을 지배하고 조절하는 〈인셉션(2010)〉과 같은 영화가 있었고, 컴퓨터에 이식된 죽은 자의 뇌파가 나노 물질을 자유자재로 움직여 세계를 통제하려 드는 〈트랜센던스(2014)〉 같은 영화도 있었다.

▌컴퓨터에 업로드된 뇌파가 물질 세계를 공격하는 내용의 〈트랜센던스〉

이처럼 세상을 통제하는 것은 신적인 존재가 되고픈 인간의 욕망이다. 루시처럼 엄청난 능력을 얻어 맘에 안 드는 자를 뇌파 하나로 제거하고, 나를 막는 이들을 무력화시키는 것, 그들 앞에 유리벽을 만들어 더 나아가지 못하게 만드는 것, 반대론자들을 윙크 하나로 처단하는 것… 이것이 세상의 주인이 되고픈 자들의 욕망이다.

루시는 통신망은 물론 컴퓨터를 제어하고 물질적 현상세계까지 지배한다. 〈론머맨〉은 〈루시〉의 서막에 불과했다. 루시는 이제 피부이식 칩과 같은 것으로 전 세계를 제어하는 세계정부와 신세계 질서의 서막이 되고 싶어 한다.

진화는 끝 간 데 없는 욕망과 탐욕의 면죄부이다. 신이 없고, 모든 것이 물질에서 비롯되었다면 누군가를 해하고 지배하며 조종한다 해도 기계를 다루는 것과 하등의 차이가 없게 된다. 그래서 그들은 신이 되기 전까지 결코 만족하지 못할 것이다.

절제미가 부족한 영화 〈루시〉는 이런 열망을 과학적 감성으로 시뮬레이션한 처절한 몸부림이다. 그런 몸부림은 진화가 결코 불가능하다는 것을 감지한 진화론자들의 막다른 결말을 보여줄 뿐이다. 그들이 뇌를 발달시켜 신이 될 수 있는 길은 없으며, 그들이 생각하는 최초의 인간 루시는 그 어디에도 존재하지 않는 원숭이의 흔적이다.

에필로그 |

집필을 하다 보니 전체적으로 음모론 같은 인류의 운명과 보이지 않는 손에 대한 이야기가 많아서 그 양을 조절했다. 그러나 그것은 세상에서 대두되는 이야기와 공방이지, 우리가 억측으로 주장하는 것이 아니다. 모든 진화 사상은 인류의 평화 공존보다는 소수의 기득권과 극심한 생존경쟁으로 귀결되기 때문에 인간이 처한 가장 급박한 위기의 문제는 거론될 수밖에 없다. 진화론은 그토록 비인간적이고 비인격적이며 반사회적인 사상이지만 과학과 학문의 탈을 쓰고 있는 괴물이다.

영화는 눈의 잔상효과를 이용해 여러 장의 필름이 양옆의 톱니에 걸려 1초에 수십 장의 필름이 넘어갈 때마다 빛이 깜빡거리면서 마치 움직이는 것처럼 느끼게 하는 일종의 트릭이다. 그래서 '활동사진'이라고 하는 것이다.

많은 사람들의 작은 발명들이 합쳐져 미국의 에디슨이 먼저 개인 관람용 기계 키네토스코프(kinetoscope, 1888)를 완성했지만, 기계 판매에 열을 올리는 사이 프랑스의 뤼미에르 형제가 자신들의 기계인 시네마토그래프(cinematographe, 1892)를 완성해 사람들을 모아 처음 상영을 하게 되면서 현대적 의미의 영화가 시작된다(그랑 카페에서 〈열차의 도착〉 등을 공개, 1895). 그래서 프랑스 식의 '시네마'가 영화를 의미하는 말이 되었다. 프랑스는 할리우드가 건설되기 전까지 활발한 영화 산업을 이어갔으며, 마술사 출신의 조르주 멜리스 감독은 마술의 트릭을 활용해 모든 SF 영화의 기초가 되는, 당시로서는 획기적인 영화 〈달나라 여행(1902)〉도 만들어냈다.

필름 보관의 기본이 되는 기후 조건이 맞아 미국에서는 할리우드가 조성되었다. 이때 할리우드의 메이저 영화사들은 주인이 바뀐 곳도 있지만 지금도 여전히 존재한다. 그런데 그들 대부분은 프리메이슨 단원이었다. 워너 브러더스의 잭 워너, 20세기 폭스의 대릴 재넉, MGM의 루이스 메이어, 유니버셜 스튜디오의 칼 레이믈, 그리고 디즈니 사의 공동 창립자이자 월트 디즈니의 형인 로이 디즈니 등 모두 공개적인 프리메이슨 멤버로 그들의 역사에 남아 있다. 월트 디즈니도 프리메이슨 청년단인 '오더 오브 디몰레이'의 헌신적 멤버로 그들의 명예의 전당에 올라 있다. 물론 그들은 모두 진화론자들이다.

영화의 역사는 16세기에 화가들이 스케치를 할 때 사용한 투영장치인 카메라 옵스큐라로 거슬러 올라가지만 17세기에 처음 환등기를 상상하고 묘사한 제수이트(예수회) 신부 키르허를 빼놓을 수 없다(논문 '빛과 어둠의 예술', 1671). 천주교에 저항한 개신교도의 말살을 위해 창설된 일루미나티 등을 만든 교황청의 예수회에 소속된 신부들의 과학적 수준과 업적은 놀라운 것이었는데, 특히 빛을 다루는 광학 분야에 탁월했다고 한다. 이후 여러 과학자들과 발명가들이 19세기 중반에 암실 사진 인화, 필름 소재 개발 등에 성공하면서 영화라는 장르가 탄생한 것이다.

이 마법과 비슷한 빛의 예술은 안목의 즐거움이라는 기본적 욕구를 채우면서 인본주의적인 상상을 실현해주는 오락이다. 이런 도구는 진화론이라는 사이비 과학을 주입하는 최적의 도구라 할 수 있다. 물론 선용될 때도 있고, 가치중립적인 부분이 있지만 대부분은 그릇된 개념의 전파에 사용되고 있다. 그래서 영화를 볼 때는 주의가 필요하다.

진화론은 과학적 근거가 없다. 진화론은 일관된 현상을 보여주지 않는다. 진화론은 자연으로 관찰되지도 않으며 재현될 수도 없다. 그런데도 진화론은 모든 '알 수 없는 것들'에 대한 만능 답안이다. 답을 알고자 하면서 틀린 길로만 가려고 하기 때문에 영영 진실의 언저리에만 머무는 세상에는 참된 과학이 필요하다. 영화 속에 나오는 세상이 아무리 그럴듯해도 그 안에서 살 수는 없다. 이제 세상을 살리고 사람을 이롭게 하는 과학으로 눈을 돌려 우리의 아이들을 깨우고, 그들에게 바른 문화와 바른 교과서, 바른 교육을 돌려줄 때이다.

진화론의 실체에 눈을 뜨는 사람들이 많아져 상식이 통하는 공정한 사회, 인간을 물질이 아닌 생각하는 영혼으로 바라볼 줄 아는 따스한 세상이 되기를 바란다. 많은 사람이 이 진실의 길에 함께하기를….

교진추는 잘못된 진화론 과학 교과서의 개정을 목표로 설립된 단체입니다

교진추의 설립 배경은?

올바른 세계관 형성의 토양이 돼야 할 과학 교과서에 증명되지 않은 가설인 진화론이 마치 과학적으로 증명된 유일한 기원학설인 것처럼 기술되어 있어서 학생들의 균형 잡힌 과학적 사고력 함양의 저해요소가 되고 있습니다. 뿐만 아니라 진화론은 유물론적 자연주의에 기반을 둔 주장이므로 편향된 세계관 조성 및 생명경시 등 여러 가지 사회 병리현상 조장의 요인이 됩니다. 이에 대한 개선 및 홍보를 위해 교진추가 설립되었습니다.

교진추의 목표는?

과학 교과목 교과서의 진화론 관련 내용 중 명백한 오류는 삭제하고, 논란의 여지가 많은 내용은 논란의 이유와 반대 주장을 모두 기술하며, 진화론은 학설이 아닌 가설임을 서술하는 등 진화론의 올바른 개정을 목표로 합니다. 진화론은 그 자체가 허구이므로 오류 내용 삭제를 계속하면 결국 교과서에서 사라질 수밖에 없을 것으로 판단하고 있습니다. 결국 과학 교과서에서 사실이 아닌 것을 삭제하는 것이 우리의 목표입니다.

교진추는 기독교 단체인가?

교진추는 반진화론 학술단체로서 기독교 단체가 아닙니다. 다만 반진화론 연구에 관심을 가지는 사람들이 주로 기독교 과학자들이다 보니 대다수의 회원들이 기독교인인것은 사실이나 교진추의 연구 내용과 주장은 오로지 학문적 견지에서만 주장됩니다. 교진추는 반진화론을 찬성하는 모든 이들에게 문호를 개방하나 사이비 종교나 외계인 설 등을 주장하는 단체나 개인과는 교류하지 않습니다.

교진추는 어떤 조직으로 이루어져 있나?

전.현직 교수와 과학 교사들을 중심으로 구성된 학술위원회와 여러 분야의 전문가들로 구성된 자문위원회 외에 주로 학문적 연구를 담당하는 부설연구소와 산하의 팀(연구·출판·교육)과 행적적 부분을 담당하는 운영위원회 산하의 팀(홍보·행정·후원·온라인)과 사무처 등으로 조직되어 있습니다.

우리의 자녀들이 올바른 과학 교과서를 통해 균형잡힌 세계관을 견지할 수 있도록 힘을 모아 주십시오

성장기에 마음 속에 자리잡은 세계관은 평생 떠나지 않고 모든 결정에 영향을 미칩니다. 일종의 종교인 진화론적 사상을 학교에서 강제로 주입시키는 교과서는 개정돼야 합니다.

교진추는 여러분들의 후원으로 운영됩니다

■ **후원 방법 :** 정회원 가입, 교진추 자원 봉사 지원, 본인 단체로 세미나 신청, 온라인 회원 활동 등

■ **정회원 가입 :** 홈페이지 또는 전화 신청 후 매월 1만원 이상 후원 또는 일시불 100만원(평생회원)
온라인 회원 가입 : 홈페이지에서 회원 가입 후 온라인 활동(회비 없음)

■ **자원봉사자 모집 :** 문서 디자인, 번역, 출판, 연구, 온라인 활동, 일반 서무 등
자원 봉사를 희망하시는 분은 사무처로 연락 주시거나 홈페이지에 신청해 주시면 감사하겠습니다.

■ **후원계좌 :** 농협 301-0116-2344-01 (예금주 : 사단법인 교과서진화론개정추진회)
보내주시는 후원금에 대해서는 연말 요청 시 연말정산용 영수증을 보내드립니다.

후원금은 매달 웹소식지를 통해 온라인 상으로 간이 회계 보고를 하며, 교진추 월례 모임에서는 정식으로 서면 보고를 합니다. 모든 후원금은 오로지 교진추 사역을 위해서만 절차를 따라 투명하게 사용됩니다.

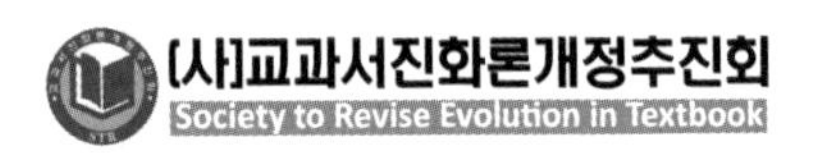

경기도 수원시 영통구 봉영로 1617, 1314호(영통동, 훼미리타워)
▶전화 (031) 201-1199 ▶팩스 (031) 201-1190 ▶www.str.or.kr